ルイス・バラガン
空間の読解

Luis Barragán —Understanding Space

大河内 学+廣澤秀眞
+明治大学大河内研究室 編著

彰国社

はじめに 　大河内 学

　ルイス・バラガン・モルフィン（Luis Barragán Morfin, 1902-1988）は、メキシコを代表する建築家であり、メキシコのモダニズムの受容と発展に大きく貢献し、近代建築の巨匠の一人として評価されている。今日でこそバラガンの作品は、メキシコ国内のみならず世界に広く知られるようになったものの、その建築思想や設計手法についての理解は不十分である。また、建築家としてだけではなく、都市開発の事業家という別の顔を持っていたことは意外と知られていない。本書は、建築の初学者から専門家に至るまで、バラガンの建築をより深く理解したいと考える人のための解説書である。バラガンという一人の建築家を糸口にして、建築のデザイン論、空間論にも関心を広げていただければ幸いである。

　バラガンの色鮮やかな壁、噴水、水盤、そして光を巧みに使いこなした建築と庭園は、崇高、安息、喜び、孤独、哀愁、沈黙といった複雑な感情を次々と誘起し、体験するたびに新鮮な驚きと解釈を与えてくれる。また、独特の色彩と抽象的な建築言語を駆使し、自然と建築の調和、モダニズムと伝統の融合を目指した数々の傑作は、近代建築が到達した美の極北として今も色褪せることはない。バラガンの盟友であり、芸術家マティアス・ゲーリッツの「感情的建築／エモーショナル・アーキテクチュア」なる言葉は、バラガンの建築を批評する上で、まさしく正鵠を得た表現である。バラガンの建築を眼にしたものは、誰もがその美しさに息をのみ、感情を揺さぶられる。したがって、その魅力を知るためには、まず実際に空間の現象を体験し、五感で感じ取ることが何より一番の近道であることはいうまでもない。そして、さらに深い理解を得ようと思えば、バラガンの思想と哲学、深層に横たわる空間の構成原理を丁寧に読み解くことが必要であろう。そのため本書では、バラガンの建築の特徴を6つの概念（回遊性、スケールと素材、内向性、庭、重層性、色彩と光）に分類し、バラガンの建築を様々な切り口により読解することとした。ひとつの概念（キーワード）に対し、それを説明する上で最もふさわしい作品を代表して例示し分析を試みたが、必ずしも概念と作品が一対一で対応するものではない。むしろ、6つの概念は本書で扱う作品すべてに通底するものであると考えていただきたい。したがって、各項の末尾には、その概念が特徴として現れるその他の作品についても例示してある。6つの切り口に沿って読み進めることで、一度解体されたバラガンの建築が一層明確な像を持つものとしてそれぞれの読者の中で再統合されることを期待したい。また、巻末には実測をもとにして描き起こした図面を掲載し、資料としても価値あるものとなるように努めた。また現地で見学される際の一助として建築MAPを掲載したので是非利用していただきたい。

Contents

はじめに　大河内 学　　　　　　　　　　　　　　　　　3

1　回遊性／ルイス・バラガン邸　　　　　　　　　　　10
2　スケールと素材／プリエト・ロペス邸　　　　　　　34
3　内向性／トゥラルパンの礼拝堂　　　　　　　　　　54
4　庭／ガルベス邸　　　　　　　　　　　　　　　　　66
5　重層性／サン・クリストバルの厩舎　　　　　　　　90
6　色彩と光／ヒラルディ邸　　　　　　　　　　　　106

Essay

ルイス・バラガン：偉大な建築家　　フアン・パロマール　6
都市開発とランドスケープ　　　　　廣澤秀眞　　　　84
絵画的空間の集合体としての建築　　大河内 学　　　120

Interview
メキシコ建築史のマイルストーン
カタリーナ・コルクエラ（聞き手・翻訳＝廣澤秀眞）   30

ルイス・バラガン年譜   8

Appendix
バラガン建築 MAP   127
図面集   130

あとがき   大河内 学＋廣澤秀眞   142

参考文献／略歴   143
写真クレジット   144

執筆担当　大河内 学　3, 34-65, 90-105, 120-126, 142
　　　　　廣澤秀眞　10-33, 66-89, 106-119, 142

ブックデザイン　みなみゆみこ

Essay

ルイス・バラガン：偉大な建築家

フアン・パロマール

翻訳　廣澤秀眞

我々がメキシコの地を知るようになったのは、スペイン人が上陸した約 500 年前に遡る。数百年前に様々な民族が醸成した人間的、文化的な基盤に基づいて、多かれ少なかれ共通する一つのアイデンティティが、植民地時代の数世紀を通じて形成された。メキシコの建築を語る上で重要な書『メキシコ建築の 4000 年（4000 años de arquitectura）』についての議論は今日もなお続いている。

1930 年代初頭、以前はレイノ・デ・ラ・ヌエバ・ガリシア（Reino de la Nueva Galicia）と呼ばれていた地、ハリスコ州の州都グアダラハラで、自由工科大学を卒業したエンジニアや建築家のグループが頭角を現すようになる。その中にルイス・バラガン（Luis Barragán, 1902-1988）がいた。バラガンは伝統的、民俗的建築の影響を受け、またフランス人の庭園家で画家のフェルディナン・バック（Ferdinand Bac, 1859-1952）が著した書物に触れ、深い感銘を受ける。バラガンやペドロ・カステジャーノス（Pedro Castellanos）、ラファエル・ウルスア（Rafael Urzúa）、イグナシオ・ディアス・モラレス（Ignacio Díaz Morales）、エンリケ・ゴンザレス・マドリー（Enrique González Madrid）をはじめとするこの建築家グループは、後にグアダラハラ派と呼ばれる建築の潮流を生むこととなる。

バラガンは 1926 〜 36 年の間、グアダラハラで設計活動を始める。これら初期における一連の作品を通じて、修道院やアシエンダ（大荘園）といったメキシコの伝統的な建築、および民俗的な建築のタイポロジーの解釈と、バックの地中海建築の影響を融合した表現を徐々に確立していった。その中で、バウハウスからエスプリ・ヌーヴォーに至る国際的な潮流を巧みに統合した、独特な表現手法を磨いていった。バラガンは、フランスからの強い影響を受けたヒューマニズムの教養を備えるとともに、常に先端的な現代文化の動向に敏感な芸術家であった。

1935 年、バラガンはメキシコシティに移り住むことを決断する。この年から 1940 年までの間、経済的自立を得るために、「投機的（商業的）」な一連の住宅作品を設計する。しかしながら、これらの住宅作品は、紛れもないバラ

ガンの作品とはいえ、この時代の流行である機能主義の建築を踏襲したものにすぎなかった。1940年にバラガンは顧客や知人、友人らに連絡を取り、今後は自分が追求する建築にそぐわない注文は受けないことや、「投機的」な仕事とは訣別すると宣言した。このことがバラガンのキャリアの大きな転換点となった。この年、エル・カビリオ（El Cabrío）と呼ばれたペドレガル・デ・サナンヘル（Pedregal de San Ángel）の一角に庭園をつくり始める。それは彼の成熟期の到来を告げる最初の作品になった。この後バラガンは、バラガン邸（現在は世界遺産に指定されている）、ペドレガル地区の開発、プリエト・ロペス邸、ガルベス邸、トゥラルパンの礼拝堂、サテライトタワーと次々と名作を生み出していく。

（当時、グアダラハラやメキシコシティに在住し、"幸運"にもその価値を知っていた人以外に）この時代のメキシコ建築界の権威は、バラガンをどう理解すべきか全くわかっていなかった。バラガンは、周縁の建築家、芸術家としての道を敢えて突き進んだ。1976年、ニューヨーク近代美術館でバラガンの個展が開催されたとき初めて彼に対する正当な評価が始まり、1980年にはプリツカー賞を受賞することになる。今日ではバラガンはメキシコで最も偉大な建築家として認められている。

バラガンは、それまでの誰よりも独創的かつ力強い手法で、植民地時代以前から現代に至るまでのメキシコの伝統を、西洋文化のより根本的かつ永続的な価値観とともに統合した。バラガンのカトリックへの敬虔な信仰心は空間に対する思考の根源であり、高潔で普遍的な美しさを持つ空間につながっている。今日バラガンは、建築家のみならず、アーティスト、文化に関心がある世界中の人々に多大な影響を与えている。彼の作品が生まれ育ったハリスコ州、メキシコ全土、そして世界に精神的な充足をもたらすきっかけとなることを願っている。

フアン・パロマール　Juan Palomar
1956年、メキシコ・グアダラハラ生まれ。建築家。1989年に設立された財団、Fundación de Arquitectura Tapatía Luis Barragán の創設メンバーとしてルイス・バラガンの作品の広報活動を行う。1989-2001年、同財団会長。著書＝『Luis Barragán』（Editorial RM、2001年）。

ルイス・バラガン年譜

1902[0 歳]
3月9日、グアダラハラに生まれる。
1919[17 歳]
グアダラハラの自由工科大学に入学。
1923[21 歳]
土木工学の学位取得。
1924[22 歳]
初めての欧州旅行。翌年10月にメキシコへ帰国。
1927[25 歳]
ロブレス・レオン邸の改築（処女作）
1929[27 歳]
クリスト邸、ゴンザレス・ルナ邸
1930[28 歳]
病身の父に付き添いシカゴへ。滞在中に父が死去。
1931[29 歳]
ニューヨークに3カ月滞在。ホセ・クレメンテ・オロスコ、フレデリック・キースラーと会う。その後欧州へ。ル・コルビュジエ、フェルディナン・バックと会う。
1934[32 歳]
革命公園
1935[33 歳]
グアダラハラからメキシコシティへ活動の場を移す。
1940[38 歳]
ビジャセニョール邸
1943[41 歳]
ラミレス通り20番地に自邸を建設し転居。
バラガン／オルテガ邸
マデレロス街道の庭園
1948[46 歳]
ラミレス通り14番地に自邸を建設し転居。
ルイス・バラガン邸
1949[47 歳]
マティアス・ゲーリッツと出会う。
1950[48 歳]
プリエト・ロペス邸
1952[50 歳]
欧州と北アフリカを旅行。

1953[51 歳]
トゥラルパンの礼拝堂
1954[52 歳]
ペドレガル庭園
1955[53 歳]
ガルベス邸
1957[55 歳]
サテライトタワー
1958[56 歳]
赤い壁
1963[61 歳]
ラス・アルボレダス
1968[66 歳]
エゲルシュトリーム邸
サン・クリストバルの厩舎
1972[70 歳]
ロス・クルベス
1974[72 歳]
アメリカ建築家協会の会員となる。
1976[74 歳]
ニューヨーク近代美術館にて個展を開催。
1978[76 歳]
ヒラルディ邸
1980[78 歳]
プリツカー賞受賞。
1981[79 歳]
バーバラ・マイヤー邸
1984[82 歳]
アメリカ学士院・芸術文学協会の名誉会長に就任。グアダラハラ自治大学より名誉博士号を受ける。
1985[83 歳]
メキシコシティのルフィーノ・タマヨ美術館にて個展を開催。
1987[85 歳]
アメリカ建築賞受賞。
1988[86 歳]
11月22日、メキシコシティの自邸にて逝去。

1 / 回遊性

ルイス・バラガン邸
Casa Estudio Luis Barragán
Tacubaya, Mexico D.F. 1948

　チャプルテペック公園に隣接するタクバヤ地区に建つ自邸兼アトリエである。故郷グアダラハラから首都に活躍の場を移したバラガンは、1940年頃に土地を購入し、数年かけて旧自邸（現オルテガ邸）と庭園をつくる。この後、敷地の一角を除きすべての土地をオルテガに売却し、1948年、当初は施主のために設計したこの住宅に移り住んだ。その後、バラガンは1988年に逝去するまで生涯この場所に住み続けることとなる。この時期を境に、バラガンはモダニズムにメキシコの伝統建築の様式を組み込んだ設計手法を確立し、後にこの作品は近代建築の傑作のひとつとして賞賛されることとなった。2004年にはユネスコ世界遺産に登録されている。

　バラガンにとってこの作品は、都市化の圧力に屈せず、メキシコの伝統的な小さい規模の界隈を、慎み深い住宅でつくるという意志を高らかに宣言するものであった。モルタルで仕上げられた高さ約9,000mmの外壁が敷地境界の際にそびえ立つ。この簡素な壁には大きな格子窓と小さな窓が2つ、スチール製の玄関扉しかなく、外壁の奥には白く高い階段室の塔が見える。リビングには4,400mm角の嵌め殺し窓があり、その窓枠は十字の形をしている。敬虔なクリスチャンであるバラガンは、他の部屋にも十字をモチーフにした建具を設計している。1階のダイニングルームと朝食室、2階のベッドルームとゲストルームは庭に向かって窓が開かれている。「庭はそれ自身の中に宇宙全体を持つ」というフェルディナン・バックの言葉を体現した庭は静かな生命力に満ちている。

リビングルームから庭を望む。十字架を
モチーフにした大きな窓から光が射し込
む。右の壁の絵画はジョセフ・アルバー
スの作品。バラガンはこの作品を眺めて
は光と色彩の関係に思索を巡らせていた

階段室は立体的な回遊動線の要である。各居室に通じる扉が設けられている。上部の窓から燦々と光が降り注ぐ

階段室を中心とする立体的な回遊性

階段室の踊り場にある金色のパネルはマティアス・ゲーリッツの作品「メッセージ」

　この住宅はたくさんの部屋がパズルのように複雑に絡み合った迷宮のような建物である。実際に内部を体験しても、その全体像を把握することは難しい。前面道路と敷地奥の庭の間に高低差がある敷地に建つため、1階の床レベルが微妙に異なる。さらにその上階においても天井の高さが異なる部屋を積み重ねた結果、スキップフロアのように異なる床レベルが混在している。これら諸室に対し有機的に接続するのが建物の中央に配置された階段室であり、複雑な動線を機能的に解決するための要所となっている。またこの階段室は、空間体験においてもこの住宅のハイライトのひとつである。踊り場にはマティアス・ゲーリッツ作の金色に輝くパネルがあり、そこにハイサイドライトから光が降り注ぐ。刻々と変化する光の状態からは、自然を住空間に積極的に取り込もうとするバラガンのエッセンスが窺える。階段を上った先にある2階のラウンジは、それと接続する居室への結節点であるが、単なる階段室の踊り場ではなく、安らぎに満ちた居場所としての設えが調えられている。

L字形の袖壁（高さ2,200㎜）の裏側に設けられた小さな書斎。光に満ちたリビングルームと対照的な薄暗い空間

1階ライブラリー。袖壁(高さ1,800mm)、梁、屛風によって一室空間を緩やかに仕切っている。生前の状態のままの書棚。左は2階の書斎へ通じる片持ちの階段

2階書斎は1階ライブラリーから片持ち階段を上った南側にある。腰壁に囲まれた親密な空間。小梁天井はライブラリーの吹き抜けと連続している

1階ライブラリーから2階書斎方向への眺め。左手の磨りガラスが嵌められた格子窓から柔らかい光が射し込む

2階ゲストルーム。窓に4分割の遮光扉が付いている

2階ラウンジからベッドルームへ通じる折れ曲がった廊下。コーナー部には天窓が設けられ、メキシカンバロックの聖像が置かれている

回遊性とスケールの抑揚

　行き止まりのない回遊性こそが、この住宅を奥深き迷宮たらしめている所以であろう。個性豊かな複数の部屋と庭を次々と渡り歩く体験は、そこに終生住んだバラガンの日常を新鮮なものとしたに違いない。ジグザグと進行方向を変える廊下を歩くと、思わず方向を見失いそうになる。垂れ壁、袖壁、身長よりも少し高い壁が空間を適度に遮蔽するため、全体を見通すことができず、段階的に次の空間の存在を知覚する仕組みになっている。こ

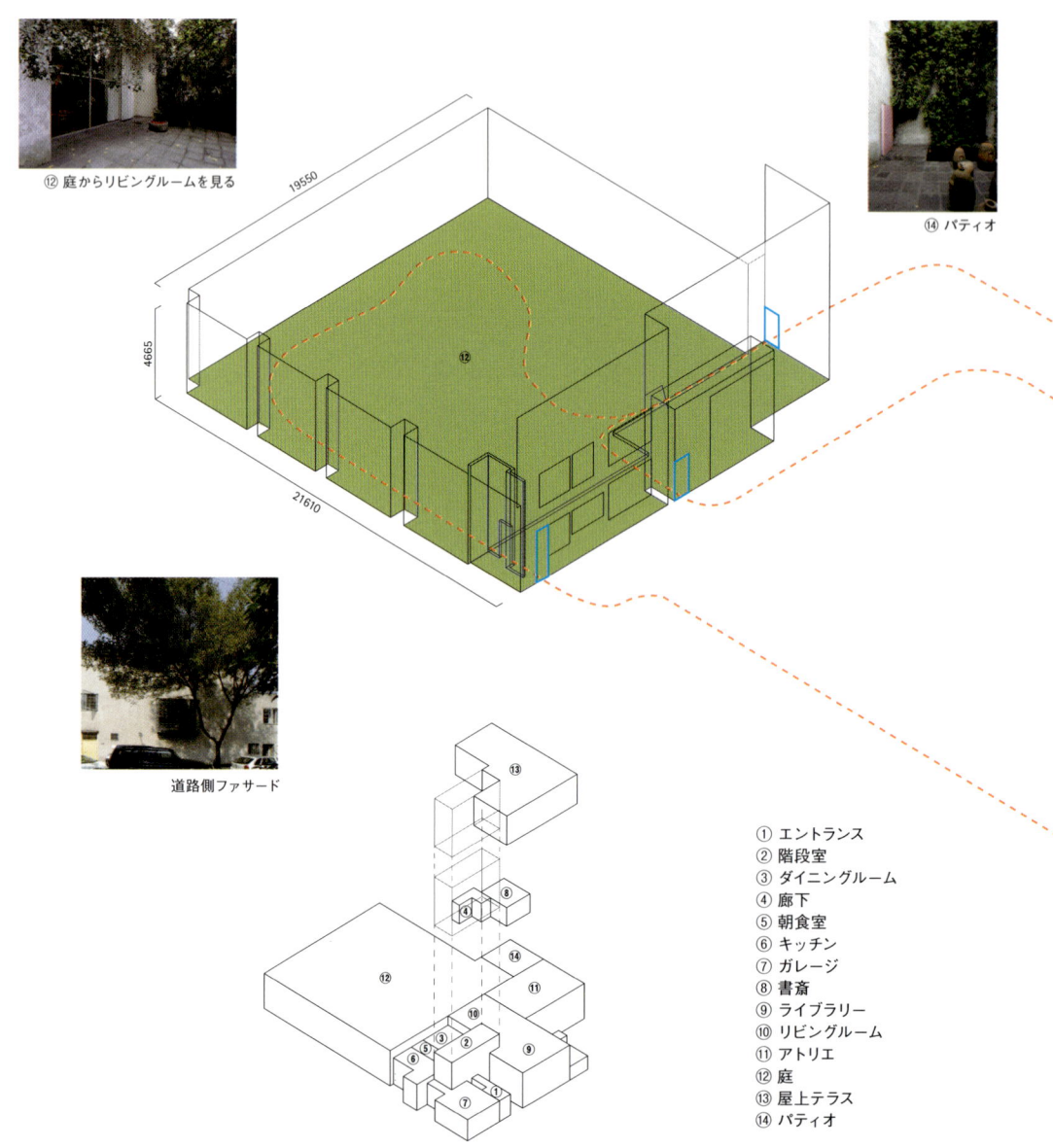

⑫ 庭からリビングルームを見る

⑭ パティオ

道路側ファサード

① エントランス
② 階段室
③ ダイニングルーム
④ 廊下
⑤ 朝食室
⑥ キッチン
⑦ ガレージ
⑧ 書斎
⑨ ライブラリー
⑩ リビングルーム
⑪ アトリエ
⑫ 庭
⑬ 屋上テラス
⑭ パティオ

様々なサイズの部屋と回遊的な経路

うした複雑な構成でありながら、主動線とサービス動線が矛盾することなく解決されているといった計画上の配慮も見逃せない。

　バラガン邸は大小の様々なサイズを持つ部屋を内包している。小さなスチール製の玄関扉を開けると閉鎖的で小さなエントランスに入る。扉上部の着色ガラス窓から微かな光が漏れる薄暗い空間だ。その先の扉を開けると、天井の高い階段室が現れ、その上部からは光が燦々と降り注ぐ。このように大きな空間と小さな空間を交互に連結させることで、回遊動線の中にスケールの抑揚が生まれている。リビングルームとライブラリーは広々とした一室空間であるが、屏風と袖壁（高さ1,800mm）で緩やかに分節されている。ライブラリーの壁には片持ちの階段があり、2階のゲストルームへとつながる。ゲストルームは天井高が低く抑えられ、開口はあえて小さく絞られている。住宅の至る所にこのような意図的なスケールの操作が認められる。

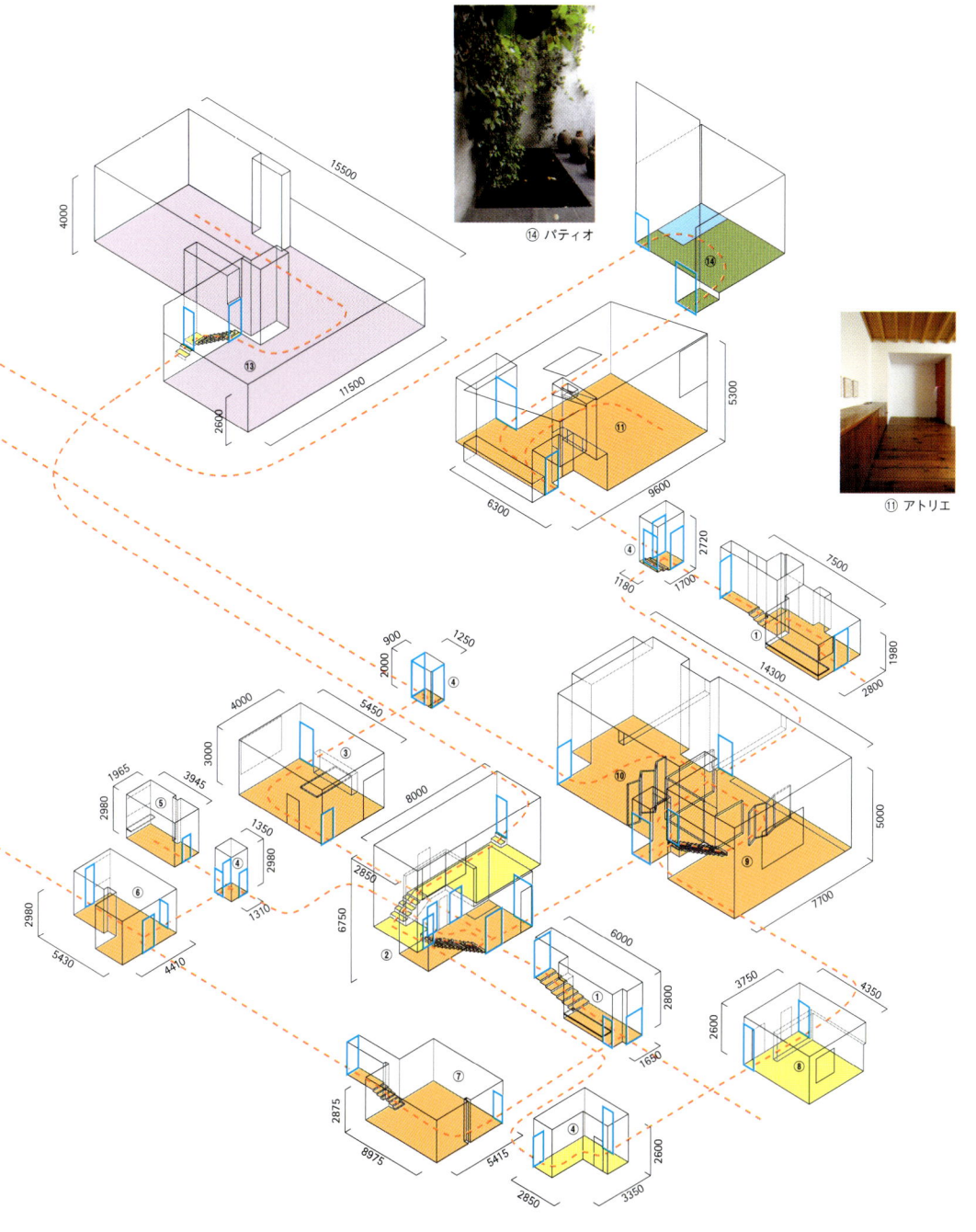

⑭ パティオ

⑪ アトリエ

2階階段室の先にある衣装部屋。正面スリットの右手に屋上テラスへ通じる階段がある

2階ベッドルームの隣にある書斎。野趣あふれる庭の緑が見える

屋上のテラスは高い壁に囲われ、周囲の雑多な風景から隔絶されている。人工物としての建築と自然の空とが対峙する場所

玄関扉をくぐると、天井を低く抑えたエントランスに入る。左手に片持ちの木製ベンチ。奥に階段室

庭に面したダイニングルーム。手前は階段室、左手前の扉は朝食室、右手奥の扉はリビングルームに通じ、複数の動線が経由する

朝食室は小さく簡素な空間

1階アトリエから壁で
囲われたパティオに
出ることができる

植栽に覆われた静謐な
庭。木々をかき分けて
回遊できる小道がある

他の作品にみる　回遊性

ガルベス邸

　ガルベス邸の魅力は広大な敷地に設けられた緑豊かな庭園である。室内の動線が外部の庭に接続することで、おおらかな回遊性を実現している。庭と建築を区別せずに一体的にプランニングしようとしたバラガンの意志が理解できる。居室によって壁の色彩が異なるため、次の空間に移動するたびに新鮮な体験を伴う。居室ごとに異なる天井高さが与えられ、バラガン邸におけるスケールの抑揚がここでも継承されている。

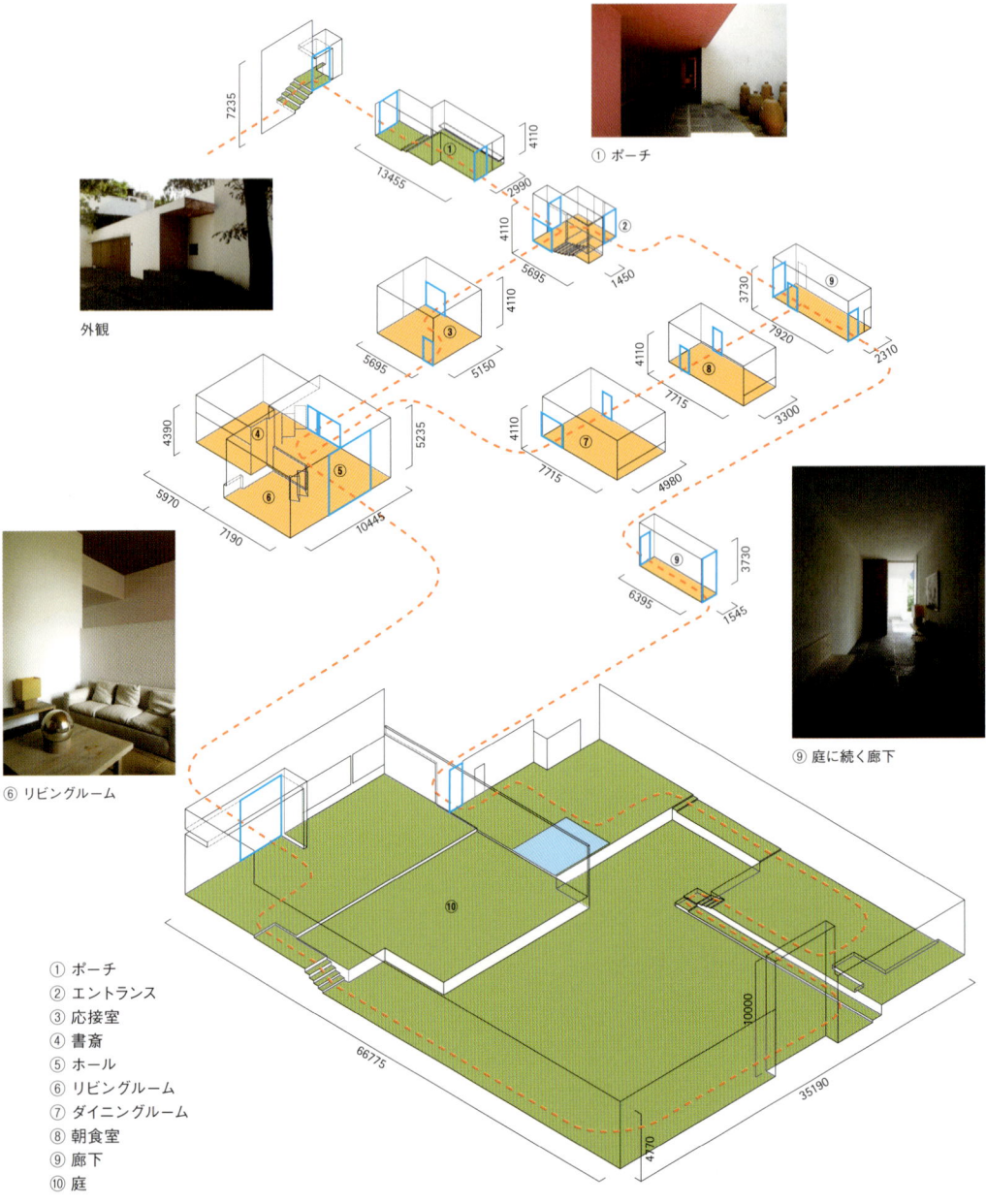

① ポーチ
② エントランス
③ 応接室
④ 書斎
⑤ ホール
⑥ リビングルーム
⑦ ダイニングルーム
⑧ 朝食室
⑨ 廊下
⑩ 庭

回遊的な経路

プリエト・ロペス邸

プリエト・ロペス邸はその規模に比して扉の数がとても少ない。できるだけ建具を排除した結果、隣接する部屋が廊下を介することなく直接つながる。この住宅では、元の地形が住居内の微地形として活かされており、小さな階段で複数の床レベルをつなぐように動線が計画されている。特に、玄関ホール→リビングルーム→メイン・ダイニングルームとつながるループは、生活の中心でありこの住宅の骨格をなす。また主動線以外にもサービス動線があり、両者は交わらないように解決されている。

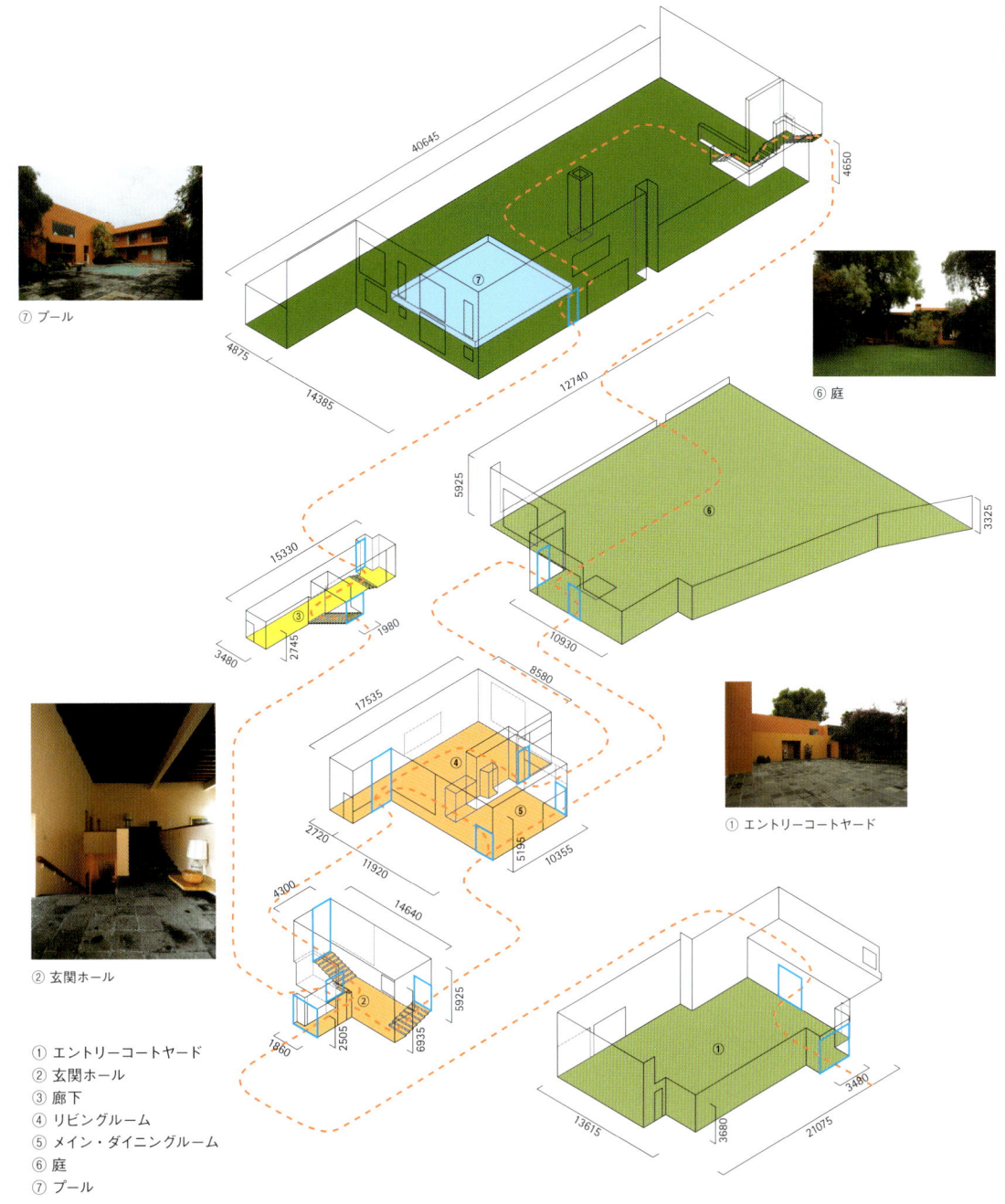

⑦ プール

⑥ 庭

① エントリーコートヤード

② 玄関ホール

① エントリーコートヤード
② 玄関ホール
③ 廊下
④ リビングルーム
⑤ メイン・ダイニングルーム
⑥ 庭
⑦ プール

Interview

メキシコ建築史のマイルストーン

カタリーナ・コルクエラ ｜ルイス・バラガン邸ディレクター
聞き手・翻訳　廣澤秀眞

バラガン邸ができるまで

——現在、コルクエラさんはユネスコ世界遺産であるバラガン邸のディレクターとして、住宅の維持・管理、情報発信、社会活動など大変な重責を担われているわけですが、まず、バラガン邸との関係を教えていただけますか。

コルクエラ、以下C　私は1994年からバラガン邸の私設財団で働き始め、2001年にバラガン邸のディレクターになりました。1988年にバラガンが亡くなったときと同じ状態で保存されているので、今住宅内にある美術作品や書架、調度品はすべてその当時のままです。部分的に修復を施し、現在は観光客に開放されて内部を見学できるようになっています。

——どのような経緯でバラガン邸は建てられたのでしょうか。

C　バラガンはこの住宅を建てるまでビジネスで素晴らしい成功を収めていました。もともと裕福な家庭に生まれ、建築家であると同時に、優れたビジネスマンでもありました。そして人生の中で多くのビジネスの功績を残しています。裕福な家で育ったバラガンはグアダラハラに暮らしていたキャリアの初期に、伝統的なメキシコのアシエンダ様式とイスラム様式、地中海様式を折衷した住宅作品をつくっていましたが、活動の拠点をメキシコシティに移したときから建築のスタイルが機能主義に変わりました。多くの機能主義建築を建てて、ビジネスとしては大成功を収めた頃に、バラガンはこのタクバヤ地区にやってきました。チャプルテペック公園の端に位置し、大統領官邸の近くにあるこのタクバヤ地区は将来的に良いエリアになるであろうと予測したのです。木と庭を愛していたバラガンは、それらに満ちていたこの場所を気に入り、15,000㎡の土地を購入すると、まず、マデレロス街道の庭園をつくりました。これらは後に、オルテガ邸やバラガン邸の庭になります。

次に、敷地の南側に現オルテガ邸を自邸として建設しました。バラガンはこの近くにも住宅を建て、友人たちにそれらを売り、さらに資産を増やし自邸兼アトリエを建設したのです。つまりこの

「ルイス・バラガン邸」バラガンが亡くなったときと同じ状態で保存されているライブラリーの書棚

一角はその当時、バラガンの親しい友人らが住んでいたことになります。

次にメキシコシティ南部にあるペドレガル地区を購入することを計画しました。火山岩に包まれた広大な土地に、火山についての専門家であり画家であるドクトール・アベルと一緒に出向きます。ほかに画家ディエゴ・リベラ、写真家アルマンド・サラス・ポルトガルも同行しました。バラガンはその大地をすぐに気に入り、購入することを決心しましたが、資金不足が問題となりました。そこで、資金捻出のために彼の土地の一部をオルテガ氏に売ることにしたのです。オルテガ氏はバラガン邸との間に小さな扉を設けました。良い友人関係だったために、バラガンがいつでも好きなときに訪れられるように設けたようです。その扉は今も残っています。

——バラガンの作家性が大きく転換する時期に建てられたということですね。不動産ビジネスの副産物として住宅が生まれたというエピソードも興味深いですね。

設計プロセスは「現場主義」

——ところでバラガンはどのように設計を進めていたのでしょうか。

C ほぼ独学で建築を学んだバラガンは、直接図面を引くことはほとんどなく、基本的にはアシスタントが図面を引いていました。アシスタントは常に8人くらいいました。アイデアを伝え、アシスタントが線を描くと、ここはもっとこうだ、と口頭でより詳しく伝える、というコミュニケーションが設計の過程で行われていたのです。また、工事現場でも実際に建てた壁の様子を見て、建てては壊しを繰り返し、実空間で細かい検討を行っていました。壁を建て、光の様子を見る。その後に色を塗りますが、色はバラガンの良き友人である、チューチョ・レイエスが決めていました。チューチョ・レイエスはメキシコの古美術に精通し、メキシコ古来の伝統的様式、美的感覚に鋭い人物でした。バラガンはチューチョ・レイエスの助言を大切にし、多くの教えを授かっていたのです。チューチョ・レイエスのほかに、マティアス・ゲーリッツという芸術家

とも協働でいくつかの計画を行っています。サテライトタワーの造形やトゥラルパンの礼拝堂のステンドグラス、バラガン邸の階段室にある金色のパネルはマティアス・ゲーリッツによるものです。

——メキシコには長い文明の歴史があり、多くの世界遺産がありますよね。セントロ・ヒストリコ（歴史地区）やソチミルコ（先コロンブス期の景観遺産）、テオティワカン（世界で3番目に大きいピラミッドがある宗教都市）、UNAM（壁画作品が多数あるメキシコ自治大学）などは、どれも巨大な規模のものです。それらと比べると個人住宅であるバラガン邸はとても小さいものですね。この住宅は、メキシコ文化史の中でどのような位置づけにあるのでしょうか。

C この住宅からすべてが始まったといえます。かつてはメキシコの伝統建築とモダニズムは相容れないものでした。その中でバラガンは機能主義の建築にメキシコの伝統的な様式を持ち込み、メキシコ建築のあるべき姿を示した建築家でした。バラガン邸はそのスタイルを具現化した初めての作品です。その点でバラガン邸はメキシコ建築史、文化史の中で、大切なマイルストーンであるといえます。

バラガン邸は1948年に竣工し、2004年に世界遺産に指定されました。アメリカ大陸において、個人住宅が世界遺産に指定されているのはここだけです。現在、年間12,000〜15,000人の観光客が訪れます。メキシコ国内の建築家や建築を学ぶ学生に次いで、日本人観光客も多く訪れています。

バラガン作品と日本建築の共通点

——日本人がバラガン邸に強い関心を持つのはなぜでしょう。

C 先日、私は京都を訪れました。京都の古建築にはバラガンの建築と共通する点が多く見られます。伝統的な素材のありかた、静寂のある空間、光と陰の関係。谷崎潤一郎の『陰翳礼讃』を読みましたが、日本における文化と建築、空間の関係性、美の感覚についてよくわかりました。陰翳の美しさを認め、理解することで生まれる文化や

前頁:「ルイス・バラガン邸」
1階スタジオ
右：1階リビングルームとライブラリーの間に立つ袖壁

所作が生活の中に根づいているからこそ、日本人はバラガン邸を訪れたときに、瞬時にこの空間性を理解できるのだと思います。また理解できるだけでなく、心地よく感じられるのだとも思います。

――日本の伝統建築はバラガンの作品のように彩りに満ちたものではありません。そのような表面的なことではなく、バラガン建築と日本の伝統建築には本質的な共通点が見いだせるということですね。

C　その通りです。日本人は空間を本質的に感じ取れるのだと思います。また、文化や伝統を尊重する姿勢も素晴らしいです。バラガンの建築空間には自然が取り入れられています。光と陰の関係にしても、そこに神秘的な空間が現れ、刹那的でありながら普遍的である様子は、もしかすると日本の伝統的な思想やアニミズムと親和性が高いかもしれません。日本の美的感覚の根源に存在するアニミズムとバラガン建築の空間性が共鳴していると思うと、地域性を超えた文化の共通性について考えさせられます。

――バラガン邸は、メキシコ国内のみならず世界の人々にとって、近現代芸術の遺産として重要な文化的価値を持つことがわかりました。我々はそれを保存するだけではなく、社会に対して発信し続けなくてはいけませんね。本日はどうもありがとうございました。

（2012年10月5日　ルイス・バラガン邸にて）

カタリーナ・コルクエラ　Catalina Corcuera
1994年、建築家のフアン・パロマール（Juan Palomar）に招聘され、バラガンの作品の修復や資金調達を行う財団、Fundación de Arquitectura Tapatía Luis Barragán に参加。2001年、バラガン邸ディレクターに就任。20世紀の建築家、特にルイス・バラガンの作品の保存と広報、また、バラガンに関連した現代美術、建築、彫刻、絵画、映像などの計画に携わる

2 / スケールと素材

プリエト・ロペス邸
Casa Prieto López
Jardines del Pedregal, Mexico D.F. 1950

　バラガンが、自ら宅地開発事業を手がけた「ペドレガル庭園」に建てた最初の住宅。現在のペドレガル地区は閑静な高級住宅地であるが、オーナーの事業家エドゥアルド・プリエト・ロペスが土地を購入したときはインフラもない溶岩石に覆われた未整備の荒野であったという。「ペドレガル」とは「石の多い土地」の意味であるが、バラガンは、掘り出した岩石をそのまま積み上げて堅牢な塀や外壁をつくった。周囲の荒野に対して閉じ、内部に静寂で安らぎを持つ空間を獲得することを目指したのだ。この邸宅の内部はアシエンダ（大荘園）風の伸びやかな空気で満たされており、建物はもちろんのこと、開放的な庭、重厚な建具まわり、分厚い家具など、どの部分に対しても贅沢に寸法が与えられている。この邸宅では、原地形がそのまま住居内の微地形となって活かされており、階段によって異なる床レベルが滑らかに連続している。広大な庭も2つのレベルに分かれ、それぞれ1階と地下1階でつながっている。主要な居室の架構は、組積造の重厚な壁に大きな梁を一方向に架け渡したものである。等間隔に並べられた表しの梁が空間に奥行きとリズムを生み出す。地元原産の木、溶岩石をはじめとする自然素材の選択、厳選された家具と調度品は、バラガンが理想とした安らぎのある居場所を実現する上で不可欠なものであり、さらに各所に配置された様々なアーティストの芸術作品がインテリアに彩りを添え、この邸宅を一層豊かなものにしている。

広々とした高い天井の玄関ホール。正面左手の階段を数段上がると、奥のリビングルームへと視界が広がる

おおらかなスケール

　ロペス邸の特徴はそのおおらかなスケール感にある。裕福な地主階級の子息として生を受けたバラガンは、メキシコ・グアダラハラにある広大な牧場で育てられた。このような伝統的なアシエンダの風景が彼の身体感覚に深く刻まれていたことは想像に難くない。この邸宅においても彼が幼少の頃から培われたスケール感が遺憾なく発揮されている。石を積み上げた塀に設けられた重厚な木製の門をくぐると、ハカランダが咲き乱れる広々とした庭が人を迎える。外部からは内部の様子が窺えないため、これだけの広い中庭があることに驚くだろう。さらに建物内部に歩を進めると、広々とした高い天井（約5,500mm）の玄関ホールに入る。大きな断面の梁が表しになった天井が奥のリビングルームまで続く。リビングルームの床レベルは玄関ホールに比べてやや高いが、それでも十分に天井高は確保されている。リビングルームの先には、地盤レベルが異なる2つの庭が連続し、伸びやかな視線の広がりを生む。決して窮屈さを感じさせない自由なアシエンダの空気に満ちている。

廊下　玄関ホール　キッチン

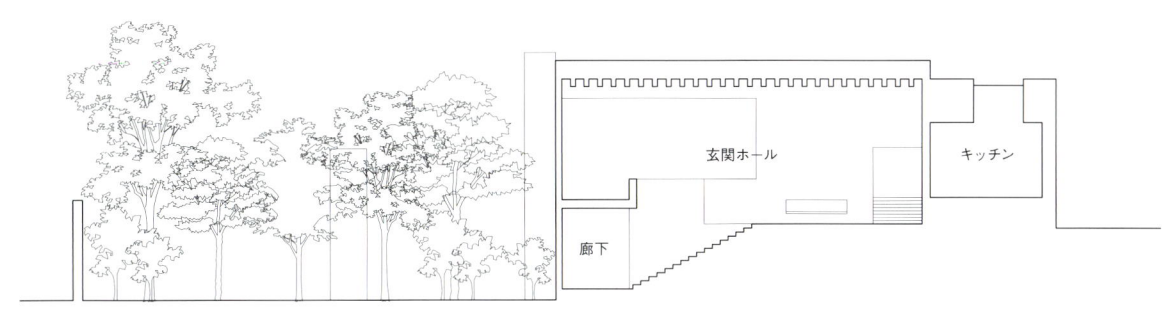

断面　1:300

リビングルーム全景。玄関ホール（右手前）から階段を数段上ると、一気にリビングルームへの視界が広がる。鉄筋コンクリート造の梁を架け渡しおおらかな空間を実現している

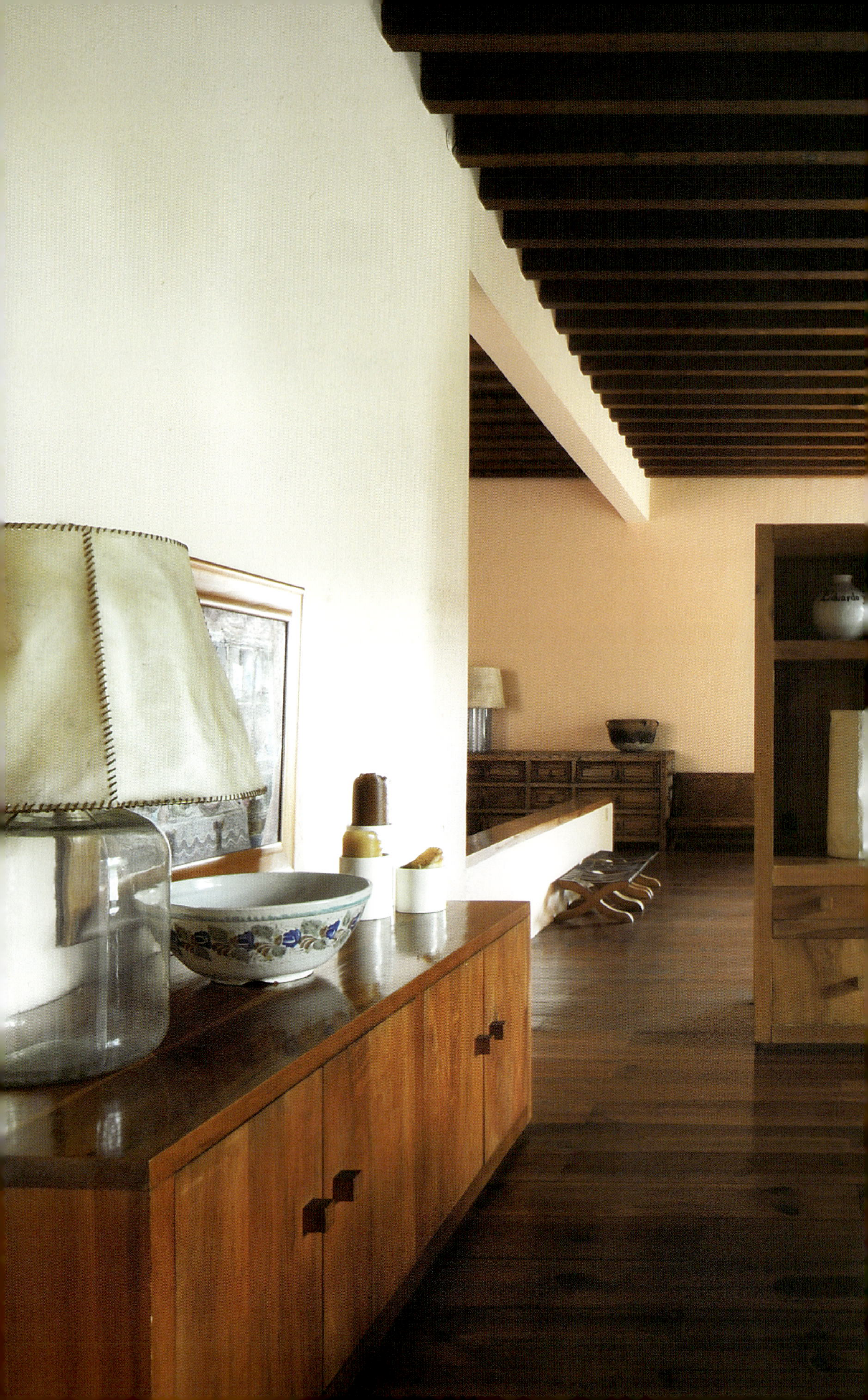

メイン・ダイニングルームからリビングルームを見る。重厚な木製のテーブルと家具

メイン・ダイニングルームの奥は日常の食事に使うサブ・ダイニングルーム。天井は手前よりも低く、親密なスケール感を持つ。床仕上げもフローリングから溶岩石の床へと切り替わっている。重厚な木製の扉。左手が片開き。右手は折り戸

少しだけ大きな寸法

　ロペス邸の空間は少しだけ大きくつくられている。しかし、それは決して間延びした空間ではない。この住宅がスケールアウトした空間にならないのは、重さ、テクスチャー、色彩といった素材の特徴を十分に活かし、部分が豊かに見えるように適切な寸法を与え、かつ、部屋全体の寸法と調和するように設計されているからである。漆喰で白く塗り込めた重厚な壁、室内に剥き出しになった大断面の梁、とてつもなく分厚い扉と大きな見付の建具枠は、現代建築で追求される薄さや軽さと対極にある空間表現であり、近代化の過程で忘れ去られた豊かな生活を感じさせる。しかし、これを単なる懐古趣味と断ずるには早計であろう。バラガンは、要所において鉄筋コンクリートの柱梁構造など近代建築の技術を採用し、伝統的な工法では成立しない大空間を実現している。ここにバラガンが生涯をかけて追求したメキシコの伝統とモダニズムの融合というテーマの萌芽が認められる。

メイン・ダイニングルーム。左手奥はリビングルーム。右手は庭へと続く。窮屈さを感じさせないおおらかな空間

42

玄関ホールとリビングルームの寸法

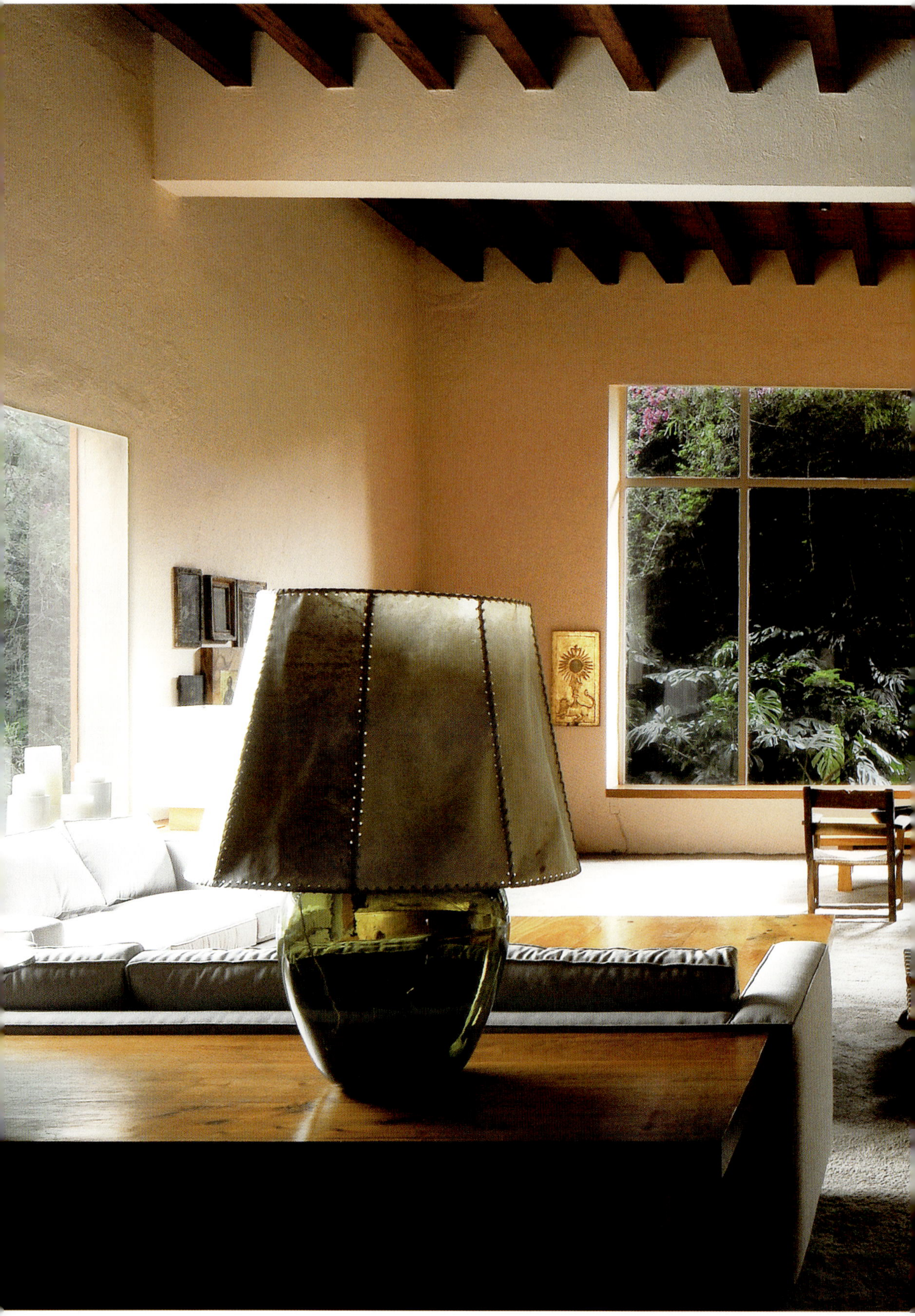

リビングルーム。天井の高さは約6,000mm。庭に向けて大きく設けられた開口。天井は木梁の小梁の表し。家具や調度品のほとんどがバラガンのデザインによるもの

土地の変形と場所の変質

　この住宅の周辺は、もともと溶岩石に覆われた荒れ地であった。開発の際に元の地形を活かし、掘り起こした溶岩石をそのまま塀、外壁、床の材料として用いているため周辺の景観との結合が強い。まるで大地が形を変えて建物になったかのようである。資材を遠方から労力とコストをかけて運搬するのではなく、その場所にある資源を用いて建てる地産地消の精神はとても合理的であり、現代建築における環境を考える上でも学ぶべきところは多い。一方で内部には、周囲と切り離された静寂な空間がつくられており、単にその場所の環境を保持するだけでなく、全く新しい空間の質を創出していることがわかる。

　エントリーコートヤードに敷き詰められた溶岩石は、バラガンが好んで用いた素材である。溶岩石はそのまま玄関ホールへと滑り込み、リビングルームへの階段と地下への階段に分岐する。このような外部と内部の連続性を重視した素材の選択は、ロペス邸以外の作品にも多く見られる。バラガンがデザインした木製家具は、故郷グアダラハラ産の木材を使用しており、白い壁を基調としたインテリアに、落ち着きと品格を与えている。

リビングルームの素材

一方向に並べられた
小梁（パイン材）

モルタルの上に白い塗装：
ハイサイドライトの光によりラフ
なテクスチャが浮かび上がる

装飾品：
金箔を施した球

装飾品：
エスフェラ吹きガラス

装飾品：蠟燭

片持ちの長椅子：
重厚なパイン材でつくられている
（W2520,D580）

巨石をくり抜いた器

大きな木製の家具

現場で採れた溶岩石を
製材した床（450角）：
中庭の床仕上げがその
まま玄関ホールに連続
する

玄関ホールの素材。奥の階段はメイン・
ダイニングルームに続く回遊動線の一
部。右手上部のハイサイドライトからの
効果的な採光。吹きガラスの玉はメキシ
コの伝統的な装飾品

リビングルームからベッドルームに続く廊下。天窓からの光が壁の絵画と家具を照らす

1階ベッドルーム。ラフな木目の凹凸を活かした板張りの壁

地下1階ベッドルーム。
重厚な床材と繊細な
格子窓

門扉をくぐると広々としたエントリーコートヤードに入る。外壁の色は建築当時のものから変更されている。床には溶岩石が敷き詰められている

玄関ホールと地下をつなぐ階段。
天井の高さは2層分。溶岩石の
床は外部から地下まで連続する

他の作品にみる スケールと素材

サン・クリストバルの厩舎

　サン・クリストバルの厩舎は、いわば人と馬がともに生活するひとつの大きな家である。人間の身体に合わせたスケールと馬のそれに合わせたスケールが互いに矛盾することなく共存するようにデザインされている。中庭と西側のフィールドを隔てる大きなピンク色の壁は、馬が騎手を乗せたままくぐることができるように開口の寸法が決められている。

中庭のスケール

ガルベス邸

　中期以降になるとバラガンの素材の嗜好は完全に確立され、どの作品にも共通する素材が認められるようになる。その一例としてガルベス邸を見てみよう。溶岩石の床、ピンク色に塗装された塀が庭から室内に滑り込み、内部と外部の連続性が強く意識されている。白く塗り込められた室内の壁、黄金色に塗られた天井は、テクスチャーが粗く、外壁のようにも見える。内部空間がおおらかにつくられているせいもあるが、時に外部と内部が反転したような錯覚を覚える。

十字架をモチーフにした見付の小さいスチールサッシ

天井：モルタルの上にペンキ 黄金色に塗装されている。連続する外部の庇も同じ色

縦軸回転の大きな窓

床：溶岩石

空間を緩やかに仕切る屏風

壁：モルタルの上にペンキ（白） 荒々しいテクスチャーが光と陰のノイズをつくる

床：重厚なパイン材のフローリング

ホールの素材

3 ／ 内 向 性

トゥラルパンの礼拝堂
Capilla en Tlalpan
Tlalpan, Mexico D.F. 1960

　メキシコシティの郊外、トゥラルパン地区に建つカプチン派の修道院。熱心なカトリック信者であったバラガンが、依頼を受けてから完成まで7年もの歳月をかけ、私財を投じて建設に取り組んだ渾身の力作である。

　重厚な門扉をくぐると、四方を白く高い壁によって囲われた明るい中庭に出る。壁にはツタが生い茂り、四角い水盤には鮮やかな白い花が浮かんでいる。外の世界と隔絶された静謐な時間が流れており、ここで暮らす修道女にとっての小宇宙がそこにある。

　この修道院を訪れた人は誰もがその光の美しさに息をのむ。特に礼拝室で体験する光の現象は特筆に値する。礼拝室入り口上部の聖歌隊室から射し込む光は、黄色に着色された格子を通過することで金色に変様し、祭壇の背景となるオレンジ色の壁を美しく染め上げる。礼拝室の左手、三角形平面の中央にはピンク色の大きな十字架が自立する。その南側には縦長のスリット窓があり、そこに嵌め込まれた黄色のステンドグラスを透過した光が十字架を照らす仕掛けになっている。この光は一般の来訪者が立ち入れない礼拝室南側のパティオから射し込み、ステンドグラスも礼拝室の座席からは見えない位置に隠されている。この左の翼廊は、礼拝室の規模からすると十分すぎる広さを持つ空間であるが、十字架を光で祝福するための贅沢な採光装置であることに気づく。こうした採光の仕掛けだけではなく、陰影を考慮した壁の肌理、光との相乗を考慮した彩色といった受光面に対するこだわりもこの建築を語る上で欠かせない。

祭壇左にある礼拝室の十字架。奥のステンドグラス（高さ約10m）から黄色に染められた光が射し込む。ステンドグラスは、マティアス・ゲーリッツ作
Photograph: Armando Salas Portugal

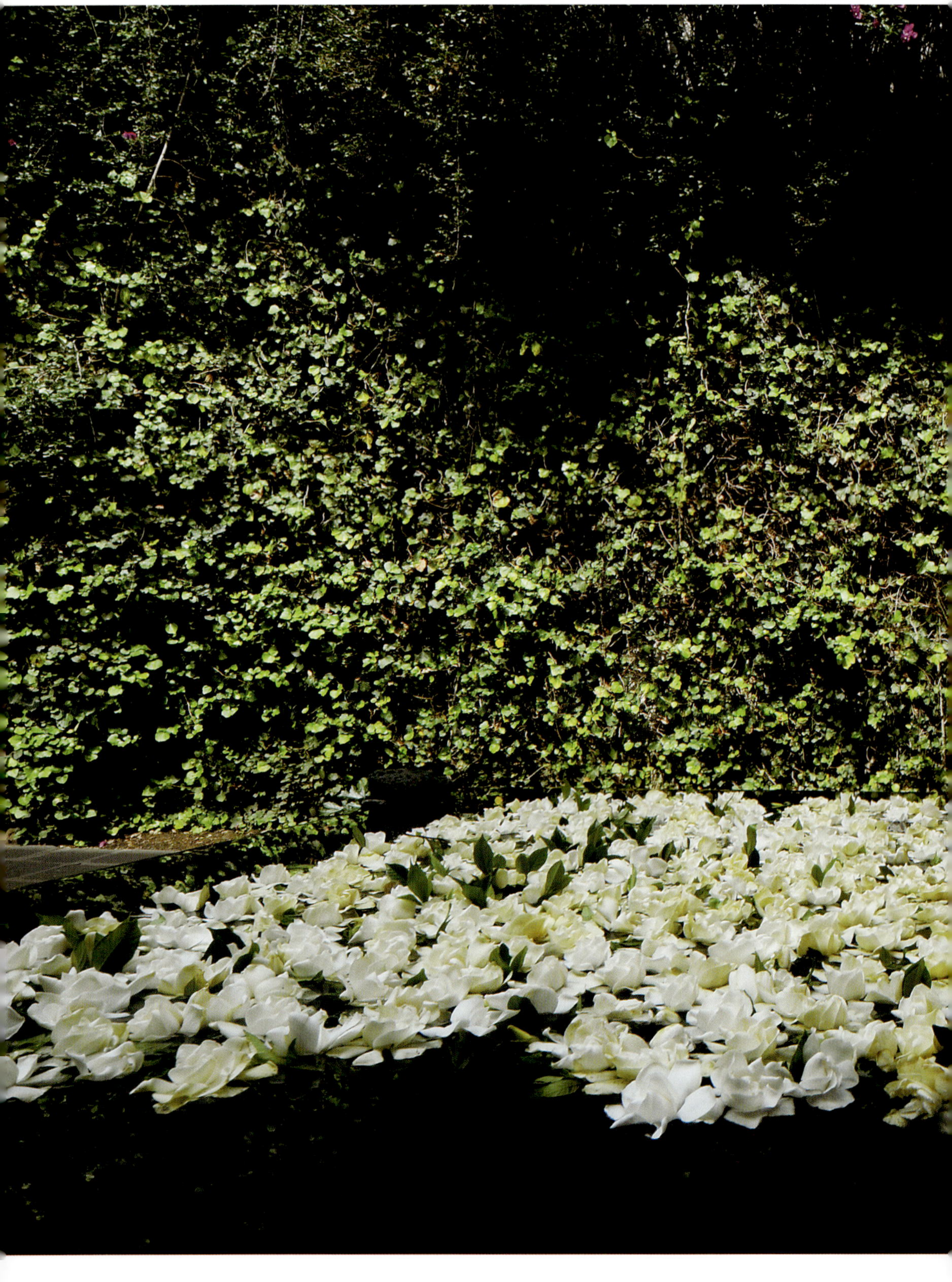

中庭の一角にある四角い水盤。白い花が一面に浮かぶ

白い壁に四方を囲まれた閉鎖的で小さな中庭。正面は礼拝室の白い外壁。右はツタで覆われた翼廊の外壁。いずれの壁にも窓はなく、内部と中庭は隔絶されている

ミクロコスモスとしての庭

　多くの修道院の例に漏れず、トゥラルパンの礼拝堂も、中庭を中心として諸室を周囲に配置する平面を持つ。中庭は単なる外部空間ではなく、俗世界と隔絶されて生きる修道女たちが暗く閉ざされた教会や僧坊から解放される場所であり、修道院における精神世界の象徴でもあるのだ。小さな礼拝堂であるため、自ずと中庭の平面も小さい。2層分の白い壁面に四方を囲まれているが、壁の一面がツタで覆われており、実際の寸法より広がりを感じる。中庭の一角には小さな水盤がある。これは庭に静けさを与え、永遠性を象徴すると同時に、時の移ろいを知らせる仕掛けとしてバラガンが好んで用いたエレメントである。エントランスから見て正面の壁には、白い壁面に十字架のレリーフが施されている。中庭から1段高いレベルにある左手の回廊を直進すると、礼拝室へ。黄色い格子ブロックによって中庭と仕切られた右手の回廊は、緩やかな階段を上りながら信者たちのレセプションルーム、翼廊へとつながっている。内部の動線は中庭を中心に周回するようにつながっており、行き止まりがない回遊性を実現している。礼拝室の右手には、礼拝室の軸線と直交する形で翼廊が計画されている。礼拝室の十字架は礼拝室の正面ではなく、翼廊の軸線に正対する形で配置されている。これにより翼廊に集まる熱心な信者に対し祈りの対象を与えると同時に、礼拝室の軸と翼廊の軸の交差部を巧みに処理し、動線のコーナー部を途切れさせることなくスムーズに連続させている。

礼拝室へと続く回廊。中庭より数段高いレベルにある。左手は執務室

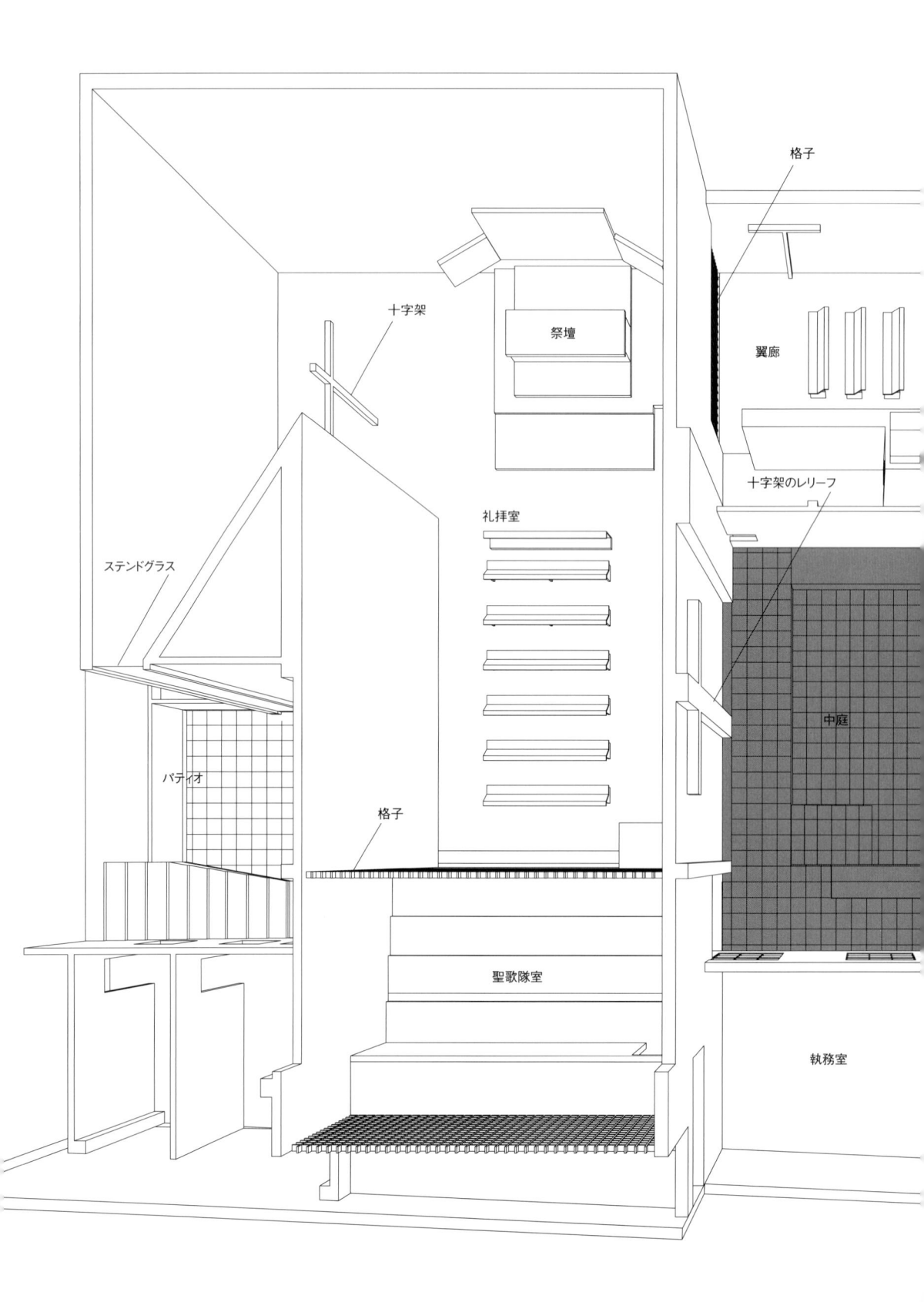

- 格子
- 十字架
- 祭壇
- 翼廊
- 十字架のレリーフ
- ステンドグラス
- 礼拝室
- 中庭
- パティオ
- 格子
- 聖歌隊室
- 執務室

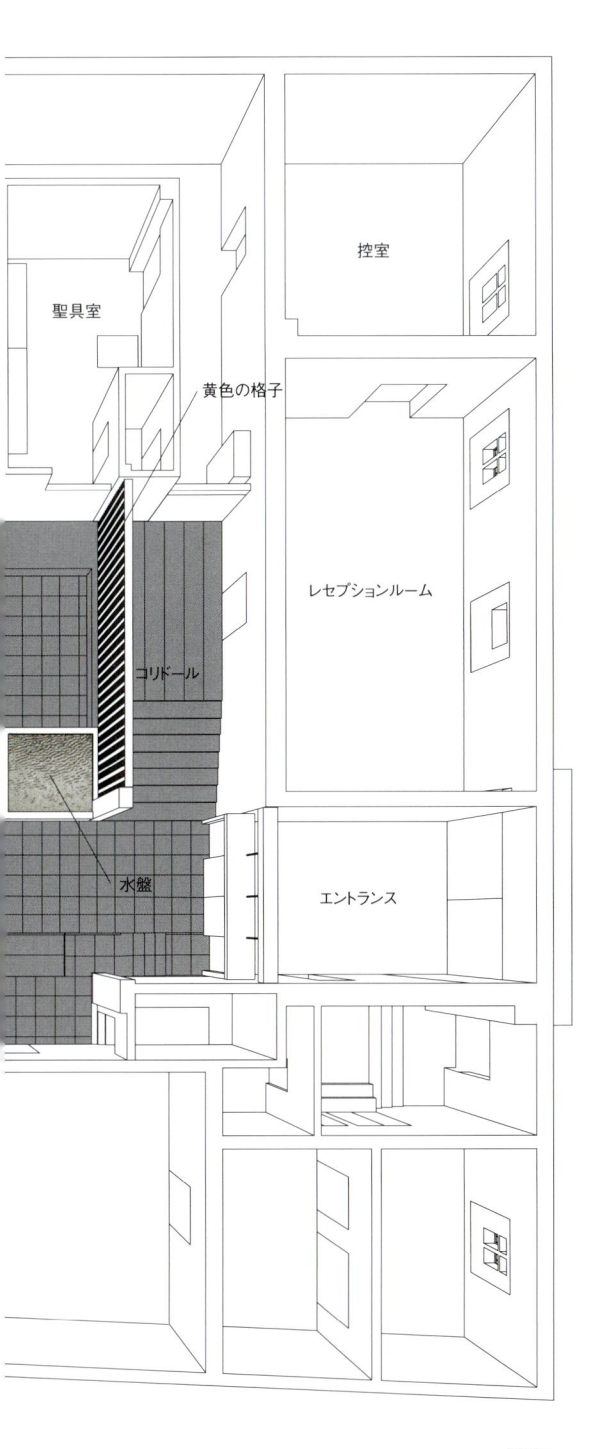

小さな中庭。壁面にツタが生い茂り、ブーゲンビリアの花が咲き乱れる

コリドール。左手にある中庭との境界には黄色の格子が嵌められている

トゥラルパンの街並みと調和する外観。エントランスを入ると、そこは外界の喧噪から隔絶された静寂な世界。2階は僧坊などの私的な領域

俯瞰図

十字架の背後から祭壇を見る。黄色の格子で仕切られた奥が翼廊。巨大な十字架が翼廊の中心軸に正対するように配置されている
Photograph: Armando Salas Portugal

美しい光と厳かな空気に満たされた礼拝室。正面の壁はオレンジ色に塗られている。黄金に光る祭壇はマティアス・ゲーリッツ作
Photograph: Armando Salas Portugal

他の作品にみる　内向性

寡黙な外観と豊穣な内部空間

　敷地と道路の境界いっぱいまで建てられた白い2階分の高さを持つ外観は、トゥラルパンの街並みにうまく溶け込んでいる。外壁には小さな四角い窓があけられ、格子が嵌められており、所々に重厚な門扉がある以外は、大きな開口はなく閉鎖的である。しかし、内部に足を一歩踏み入れると豊かな空間が広がっている。修道女が暮らす礼拝堂という性格上、当然のことながら外部に対して閉鎖的で、内部に向けて開くように計画されているのだが、バラガンの内部に対する異常なまでの執着と、寡黙で閉じた外部との対比は、この礼拝堂だけでなく、ルイス・バラガン邸、ヒラルディ邸に代表される1940年代以降の作品全般に共通する傾向である。バラガンが幼少から培った大きなアシエンダの中での暮らしの安息を実現する上で、豊かな内部空間への関心はひときわ強かった。また、ルイス・バラガン邸以降、未整備な土地を購入し、庭や住宅を建てて分譲する仕事を

ルイス・バラガン邸

外観。敷地いっぱいまで
建てられた閉鎖的な壁

階段室

始めたため、荒れ果てた周辺環境と隔絶された内部の確保は重要なものであったに違いない。

ルイス・バラガン邸は首都メキシコシティのタクバヤ地区にあり、大通りを1本入った閑静なエリアに位置する。グレーの外壁は平滑で余分な装飾はなく、目立たないだけに、一見それがメキシコ近代建築の巨匠の作品であるとは気づかない。四角い箱形の簡素な外観とは対照的に、内部空間はとても複雑である。階段室を中心に複数の床のレベルが旋回するように構成された迷宮的空間である。

ヒラルディ邸の外観はピンク色に塗られているため、ルイス・バラガン邸ほど地味ではないものの、単純な幾何学的ボリュームで構成された外観を持つ。一方、内部には大きなハカランダの樹を植えたパティオがあり、内側の外部空間に開いて暮らすようにつくられている。またこの建物のハイライトともいえる光と色彩に彩られたプールが内部に潜んでいることは、建物の外側からは全く想像がつかないであろう。

ヒラルディ邸

外観。通りからは内部の空間構成を窺うことはできない

プール

4 / 庭

ガルベス邸
Casa Gálvez
Chimalistac, Mexico D.F. 1955

　ペドレガルからやや北の高級住宅街、サン・アンヘル地区に建つ広大な庭を持つ邸宅。クライアントのアントニオ・ガルベスはバラガンの自邸に招待された際に、創造力あふれる静謐な空間に惹かれ、バラガンに設計を依頼することを決めたという。この作品は、バラガンの建築家とランドスケープ・アーキテクトという2つの類い希なる才能の発露とともに、バラガンの後期における課題、「モダニズムとメキシコの伝統的様式の融合」がより高次の段階に発展したものとして位置づけられる。この作品では、これより前のバラガン邸やロペス邸で見られる小梁を表した天井といったローカルな建築言語と訣別し、平滑な左官仕上げの天井に変更されている。これだけを見れば、モダニズムへの傾倒を示すものとして誤読されそうだが、実際はそうではない。バラガンは、視線を遮る高さの壁によって敷地を囲い、一度周辺環境と切断した上で、メキシコの自然や伝統的街並みによく見られるショッキング・ピンクの色彩を、壁への塗装というかたちで抽象化して用いることで地域性の表現という課題に応答している。こうして抽象化された壁・天井などの水平・垂直の要素は、内部と外部の境界を自在に横断する。ポーチの天井・壁が門扉の外に突き出て庇・袖壁となる様子、リビングルームの黄金色の天井がそのまま庭に突き出た庇、応接室と水盤の関係など枚挙にいとまがない。建築と庭が分け隔てなく等価に扱われることで、住宅の内外がつながり、庭の巨木や豊かな緑と共生する安らかな暮らしが約束されている。

三方をピンクの高い壁で囲われた水盤。左手はポーチ。蒸留酒を醸造するのに使われた民芸品・オージャス（甕）が置かれている

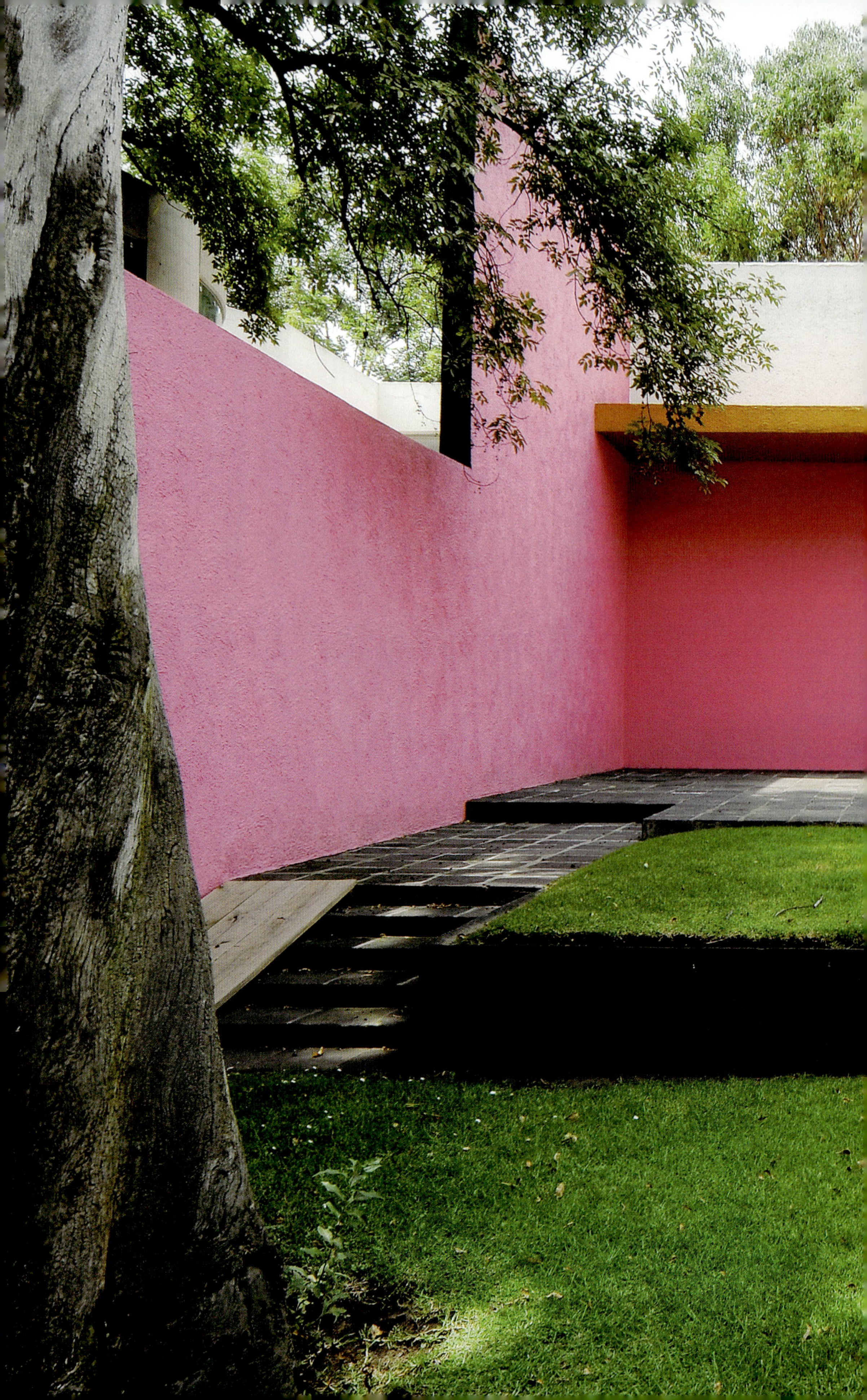

東の庭から見る白い建物。黄金色の庇はホールの天井と連続している。左手のピンク色の塀は建物の外壁が延長されたもの。緩やかな高低差を調停するための低い擁壁が設けられている

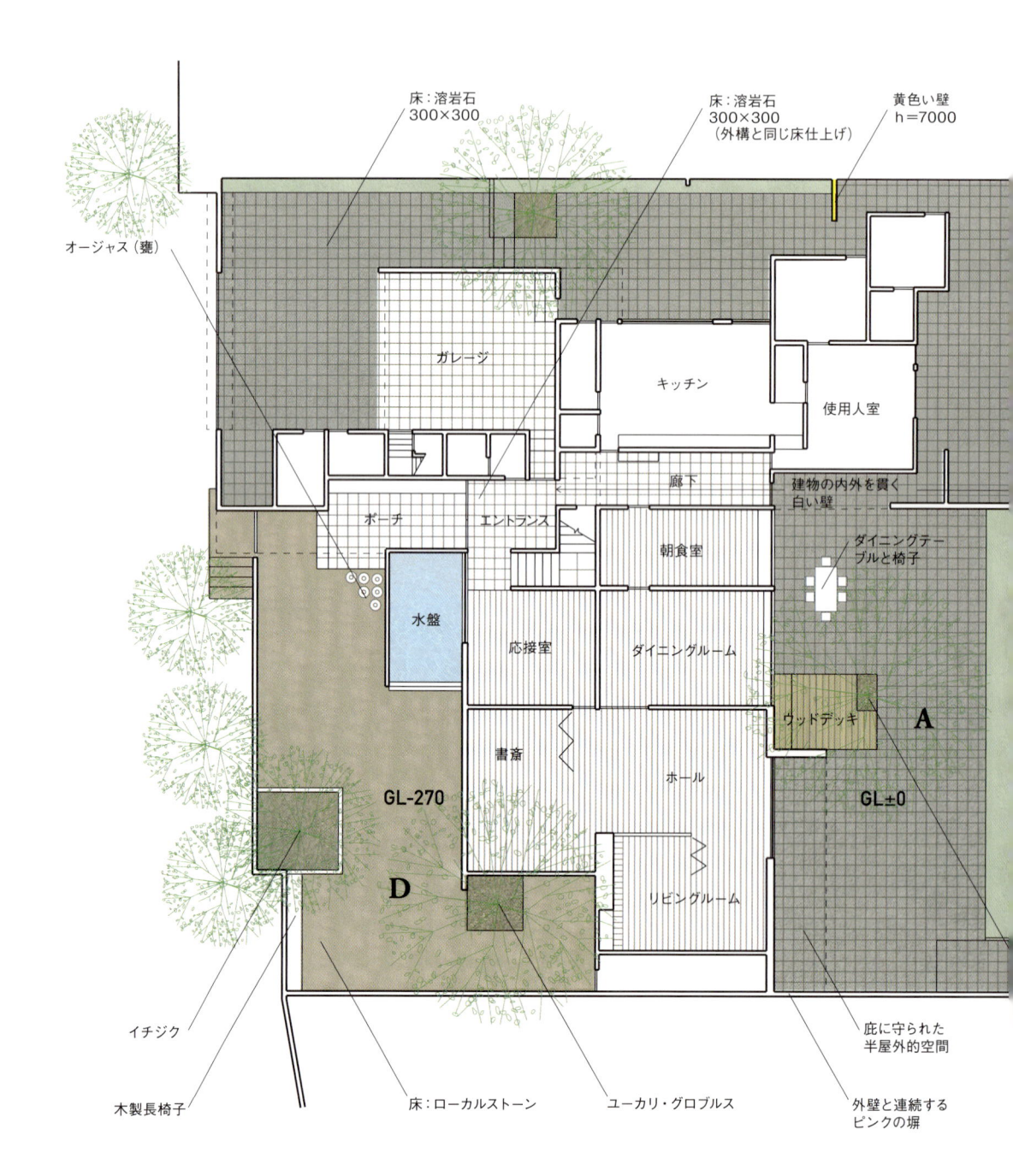

床：溶岩石 300×300	
床：溶岩石 300×300（外構と同じ床仕上げ）	
黄色い壁 h=7000	
オージャス（甕）	
ガレージ	
キッチン	
使用人室	
ポーチ	
エントランス	
廊下	
建物の内外を貫く白い壁	
水盤	
朝食室	
ダイニングテーブルと椅子	
応接室	
ダイニングルーム	
ウッドデッキ	
A	
書斎	
ホール	
GL±0	
GL-270	
D	
リビングルーム	
イチジク	
庇に守られた半屋外的空間	
木製長椅子	
床：ローカルストーン	
ユーカリ・グロブルス	
外壁と連続するピンクの塀

	ネズミモチ
	ネズミモチ
	トロピカル・アッシュ

C

プール

トロピカル・アッシュ

青い壁
h=10000

地面のレベル差を
調整する小さな擁壁

B

GL-190　　GL-840

トロピカル・アッシュ

ユーカリ・グロブルス

トロピカル・アッシュ
リビングの近くに立つ大樹

トロピカル・アッシュ
視界を遮る低木群

0　2　5　　10(m)

庭の設計図

ダイニングルームから東の庭への眺め。手前の芝生の庭、低木群、奥の庭、背景となる高木と要素を重ねることで、風景の奥行きをつくっている。奥に見える青い壁は高さ10m

既存の地形と樹木を活かした庭の設計

　30m × 60m の広大な敷地に対し、建物を西側に寄せて配置し、東側に大きく3つの庭、西側にひとつの庭、北側にはサービスヤードを計画している。もともと生息する多くの巨木をそのまま活かしつつ、新たに建築的要素や植栽を配し、それぞれに異なる性格づけがなされている。建物の東側の領域では、小さな立ち上がりの擁壁や内外を貫く壁により、庭を3つに分割し、敷地内の高低差を調停している。

　70頁に示す庭Aは、ダイニングルームの正面に位置し、週末には来客とのカクテルパーティに使う居室の延長としての庭。西側半分は溶岩石、東側半分は芝とし、床の仕上げが切り替えられている。

　庭Bは、伸び伸びとした芝生の庭。子供たちの遊び場として使われる。Aの庭の西側(芝)から840mm低いレベルにあり、擁壁と低木の目隠しによって、建物から視覚的に切り離された奥まった庭になっている。

　庭Cは、高い壁に囲われた落ち着いた庭。建物の内外を貫く白い壁の北側にできた空間にプールを配置している。

　庭Dは、ユーカリ・グロブルスの木が揺らぐひっそりとした庭。庭の北側はポーチとつながり、一角に壁で囲われた水盤が設けられている。耳を澄ますと、水盤に水の落ちる音が微かに聞こえる。長椅子で本を読むなど一人で時間を過ごすための静謐な庭である。

屋外の床材は溶岩石。木陰にテーブルと椅子が置かれている。庭の木々とともに暮らす生活

庭としての水盤

　水はバラガンが建築や庭園を設計する際に欠かせない要素のひとつであった。幼い頃に暮らしたアシエンダには用水路や井戸や池、湧き水や水たまりが身近に存在した。バラガンは自らの原風景としての水に強い愛着を持ち、生涯にわたり様々な作品に繰り返し用いることとなる。ガルベス邸のポーチ右手にもやはり水盤が横たわり、静かに水をたたえている。水盤の二方はL字形のピンク色の壁に囲まれ、一方は嵌め殺しの窓を介し室内に接し、一方は庭に開かれている。応接室から水盤を見ると、室内の床と水面がほぼ一致しており、水盤は屋外にあるにもかかわらず室内の一部であるかのように見える。吐水口から注がれる水が奏でる音、水面からの反射光が天井に映り込むことで生まれる複雑な揺らぎ、ピンク色の拡散光が室内を充塡する。このように水は空間の質を豊かにする一種の環境装置であり、場所に静寂さを与え、永遠性と一時性を同時に表現する媒体として愛用されたのである。

　後期になると、バラガンは水の表現をさらにバリエーション豊かなものへ発展させていく。サン・クリストバルの厩舎のプールは、燦々と降り注ぐメキシコの強い日差しのもと、赤茶色の壁からプールに音を立てて大量の水が降り注ぐ。水は地上の楽園を謳歌するかのごとく、いきいきとした生命感にあふれている。あるいは、ヒラルディ邸のダイニングルームに設けられた室内プールは、オーナーが泳ぐこともあったようだが、本質的には機能的なものではなく、むしろ精神的な象徴としての意味合いが強い。単にプールと呼ぶには語弊があり、やはり室内に設けられたメタフォリカルな「庭」と解釈するのがふさわしい。

ピンク色の壁から飛び出た箱形の木製水栓から水盤へ水が注がれる

応接室に設けられた大きな木製の嵌め殺し窓から庭の水盤が見える。外部のピンク色の壁に当たる光が反射し室内の壁・天井がピンク色に染まる。3種の床材(溶岩石、フローリング、水)が取り合う場所

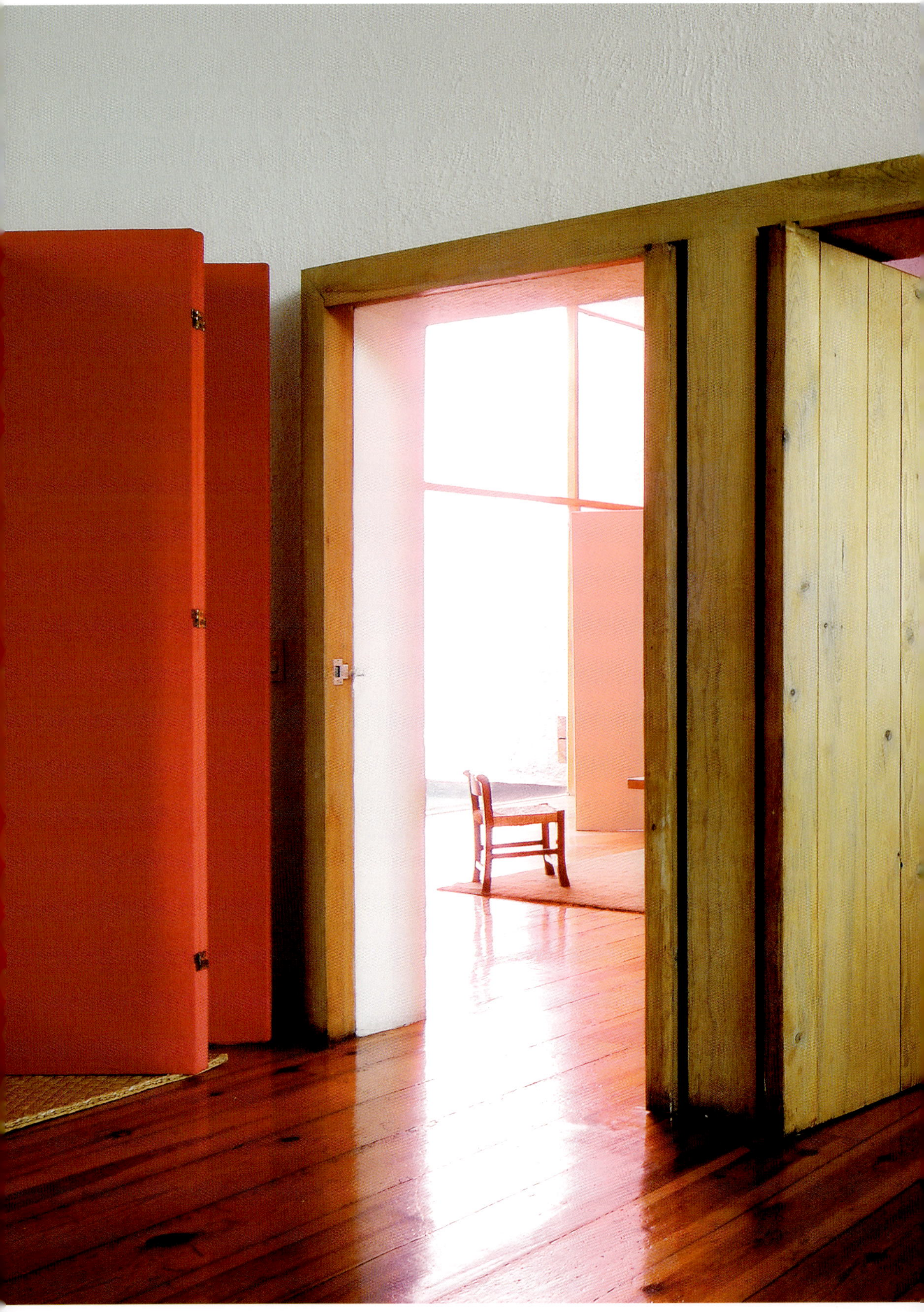

重厚な扉を開放し、ホールから
ダイニングルームを見る。左奥
は水盤に面する応接室。白い壁
とピンク色の壁が交互に現れる

庭とつながる部屋

　各居室に設けられた窓は、庭の植栽、水、壁などの要素との関係の上に成り立っている。ダイニングルームから庭を望むピクチャーウィンドウからは、低木、高木、青い壁といった要素が重層的に配置された奥行きのある風景を観賞することができる。一方、書斎では南側の壁の上部にハイサイドライトが設けられ、ユーカリの樹が見える。葉の動きに応じて絶えず光が揺らぎ、室内に居ながらにして庭の出来事を感じることができるのだ。応接室では、天井の高さまで設けた大きな窓、床レベルと水面の連続性、水盤を囲む壁の囲繞性により、室内と外部の水盤の一体感が強められている。室内の天井に映り込む水面からの反射光は、常に水面のさざ波に敏感に反応し揺らいでいる。水盤とピンク色の壁からの拡散光で応接室全体がピンク色に染まり、あたかも応接室と水盤がひとつの部屋であるかのような錯覚を覚える。

ダイニングルームから庭への眺め。壁全体に設けられた窓で切り取られた限定的な風景

高い天井のリビングルーム。天井までの大きな窓に設けられた縦軸回転の扉。天井は屋外までそのまま延長して庇になり、半外部的な空間を形成している

ホールとリビングルーム（奥）は
人の視線よりやや高い腰壁で仕
切られている。2つの室の天井は
連続し黄金色で塗装されている

ホールに隣接する書斎。左手の壁は高さ2,560mm、ハイサイドライトは幅5,020mm、高さ1,100mm。庭のユーカリ・グロブルスの樹が見える。壁に掛けられた絵画はディエゴ・リベラの代表作「Nude with Calla Lilies」

他の作品にみる　庭

マデレロス街道の庭園

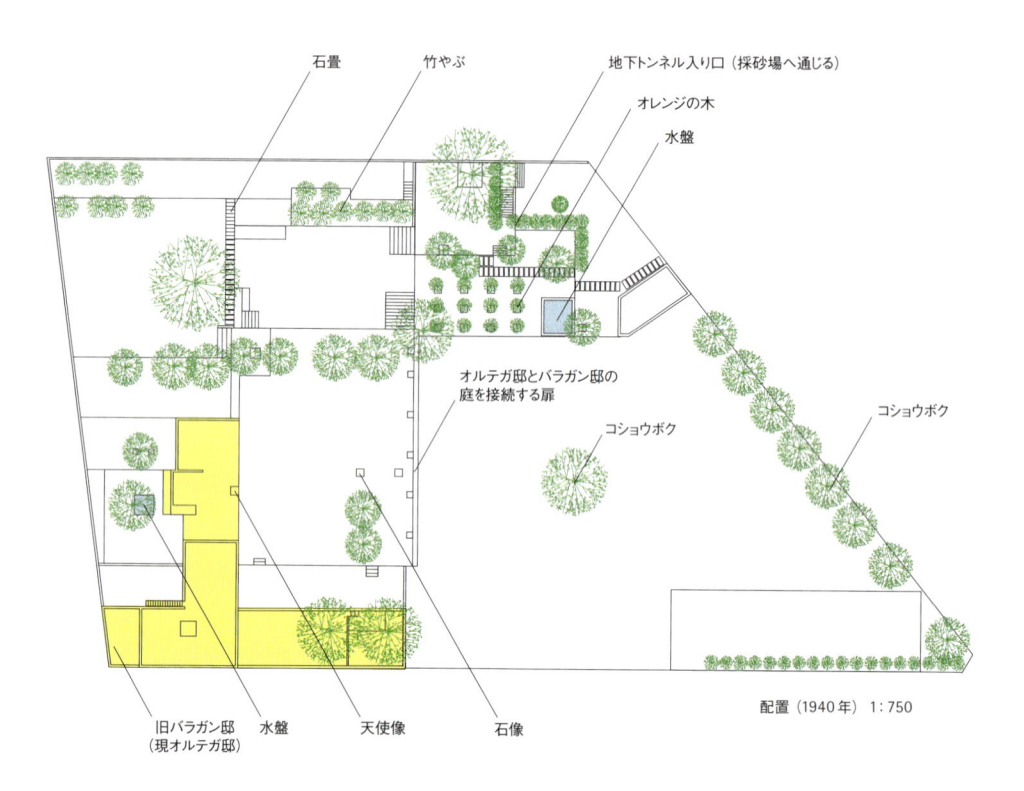

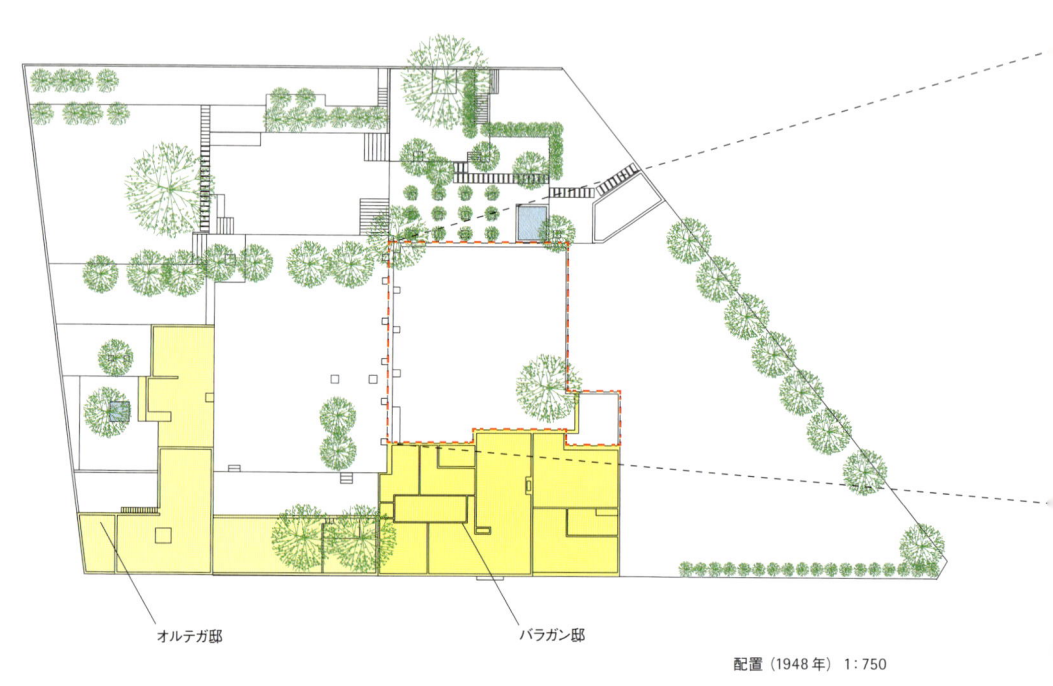

石畳　竹やぶ　地下トンネル入り口（採砂場へ通じる）
オレンジの木
水盤
オルテガ邸とバラガン邸の庭を接続する扉
コショウボク
コショウボク

旧バラガン邸（現オルテガ邸）　水盤　天使像　石像

配置（1940年）1：750

オルテガ邸　バラガン邸

配置（1948年）1：750

1925年のパリにおいて、フランスの造園家、フェルディナン・バックの著書に影響を受けたバラガンは、徐々に庭園に関する知識と経験を醸成させ、1940年代に入ると、精力的に庭園のデザインに取り組むようになる。その嚆矢となった「マデレロス街道の庭園」は、高い壁に囲われた閉鎖空間を設け、混沌とした都市から切り離された庭園として計画されている。もともと高低差があった土地にレベル差を設けながらおおらかに連続させ、シーンごとにオブジェや樹木を点在させることで、演劇的な風景を形成した。それは断片的なイメージでありながらも、シークエンスの中に配置された建築的要素によって叙述的に次の空間を予見させることに成功している。密集した樹木が鬱蒼と茂る狭い空間から、広大な芝の上にひとつの彫刻が置かれた空虚な空間へと劇的にシーンを変える手法は、後にバラガンが建築で実践した手法と同様のものである。

　「マデレロス街道の庭園」とともに計画した「旧バラガン邸」（ラミレス通り20番地に位置した既存家屋を庭園の計画とともに増改築し自邸として住まい、後にアルフレド・オルテガに売却しオルテガ邸と名づけられる）では、ロッジア、テラス、パティオを用いて庭の風景を切り取り、内部空間と庭との連続性と絵画的な風景の獲得を両立している。このような方法はオルテガ邸の横に建てられた「ルイス・バラガン邸」（ラミレス通り14番地）にも見られる。リビングルームの十字の嵌め殺し窓からの庭の眺めはその好例であろう。リビングルームと庭は床レベルが連続していながらも、庭との行き来は開口の脇に設けられた小部屋の扉のみとすることで、窓は庭を切り取る純粋なフレームとしてデザインされている。一方、庭の内には石畳が敷かれた回遊動線があり、庭を絵画的な観賞の対象とするだけでなく、身体的な体験の場としている。この観賞と体験の両義性こそがバラガンの庭に秘められたデザインのエッセンスである。

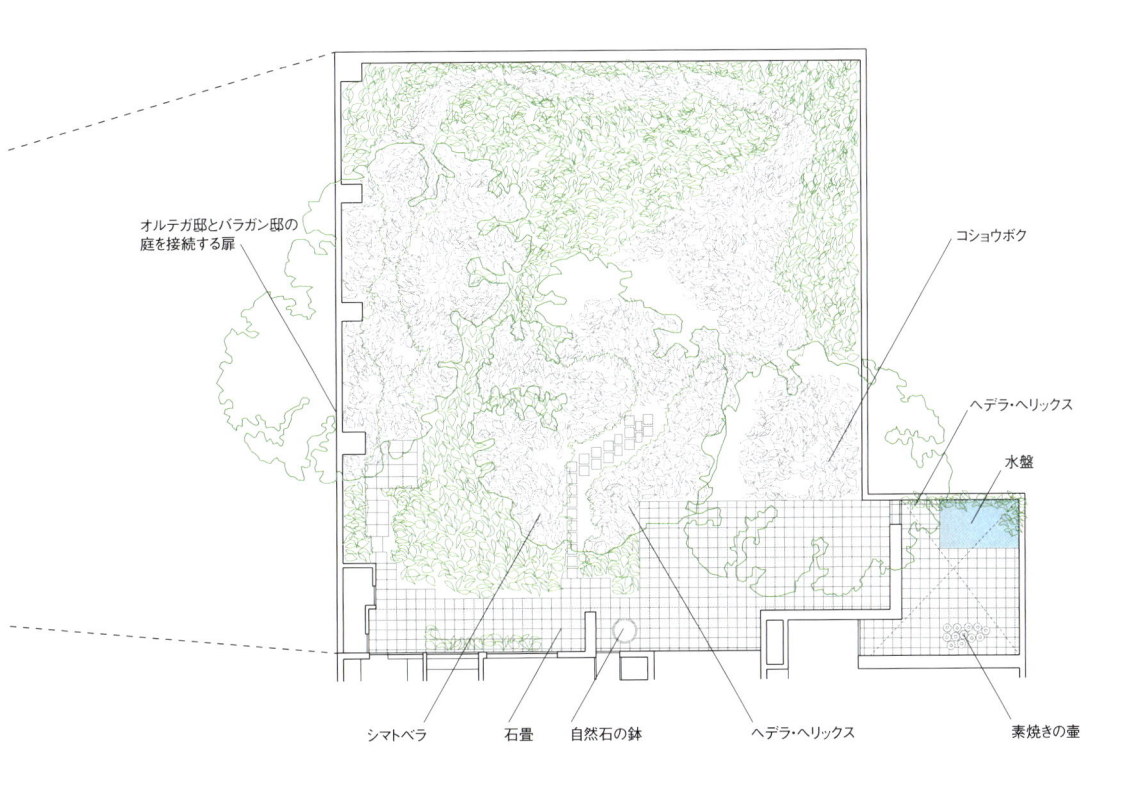

ルイス・バラガン邸の庭　1:250

Essay

都市開発とランドスケープ
廣澤秀眞

ペドレガル庭園。荒々しい溶岩の岩肌。この地質に適した植生が繁茂している。一部は公園として開放されている

メキシコシティの歴史とバラガンの都市開発

　バラガンは建築家としてだけでなく、都市開発の事業家として大きな足跡を残した。一体どのような経緯で、バラガンは建築家とデベロッパーの2つの顔を持つに至ったのだろうか。

　現在のメキシコシティは、都市圏域内に約2,000万人が住む巨大都市へと発展を遂げているが、かつてこの地は、テスココ湖の沼沢に覆われた未開の地であった。13世紀にアステカ人がウィツィロポチトリの神託に従い、この沼沢を干拓し、湖上都市テノチティトランを築く。ところが16世紀の大航海時代に突入すると、スペインの征服により、都市は完全に破壊され、その上に欧州様式の都市メキシコシティを建設するに至る。都市の街路はアステカ時代の都市構造に基づきグリッド状につくられた。干拓がさらに進むと湖は一部を残すのみとなり、都市はアステカ時代から大きく様変わりしていく。20世紀初期までは緩やかに発展を遂げ、人口は15万人程度であったが、20世紀中頃には300万人規模に膨れ上がった。急速な人口増加に都市インフラの整備が追いつかず、劣悪な居住環境を生じる地域もあった。

　バラガンは、1935年に生まれ育った古都グアダラハラからメキシコシティへ活動拠点を移す。新たな都市開発を行う必要に迫られ近代化していくメキシコシティの情勢に、バラガンは抗うことなくいくつかの住宅を手がけたが、施主の要望に従い計画したものは、いずれも彼が希求する建築とはほど遠いものであった。そこでバラガンはデベロッパーとして投機を行い、建築家

メキシコシティの変遷

15世紀。アステカ帝国の湖上都市「テノチティトラン」が存在した

17世紀。スペインの植民地化により湖の干拓が進んだ結果、かつての湖上都市の姿は消滅する

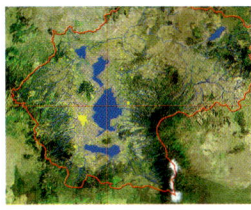

20世紀初期。都市化が緩やかに進行し、近代化が始まる。人口15万人

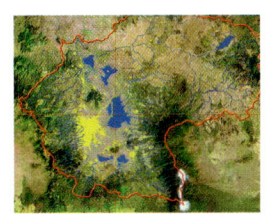

20世紀中期。人口増加が急速に進み、新たな都市開発、住宅供給が必要となる。人口300万人
(4点とも、©FDU)

バラガンが開発を手がけた地区

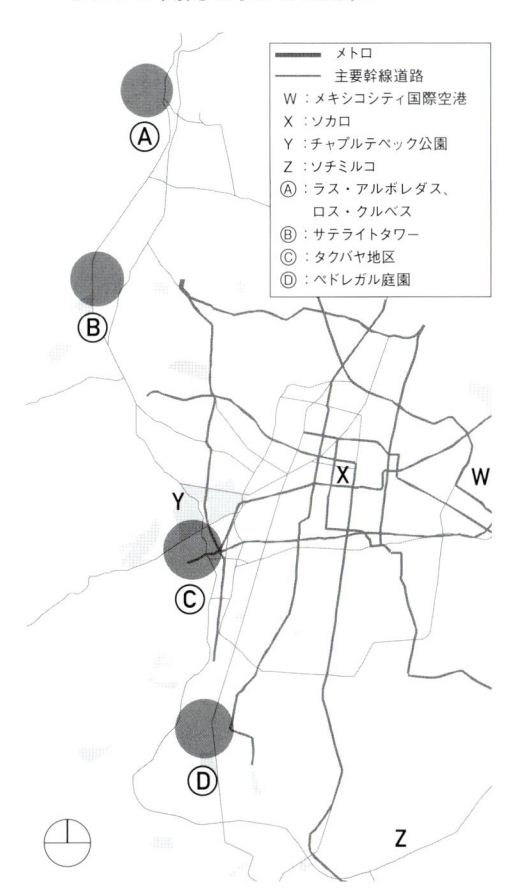

- ━━ メトロ
- ── 主要幹線道路
- W：メキシコシティ国際空港
- X：ソカロ
- Y：チャプルテペック公園
- Z：ソチミルコ
- Ⓐ：ラス・アルボレダス、ロス・クルベス
- Ⓑ：サテライトタワー
- Ⓒ：タクバヤ地区
- Ⓓ：ペドレガル庭園

であり発注者でもあるという地位を獲得することで、自らの信条に従い設計に取り組むことを決断したのだ。手始めに、タクバヤ地区の広大な土地を安価に購入し、自邸の設計のみならず、周辺にいくつかの住宅と庭園を設計し、友人らに売却することで資金を得た。さらにそれを原資に、投資家のホセ・アルベルト・ブスタマンテとともにペドレガル地区の土地350万㎡を徐々に購入して開発に着手する。バラガンはマスタープランを描き、分譲地として販売した。購買者は政治的・経済的に影響力のある富裕層であり、バラガンは十分な富を得て、デベロッパーとしての成功を手中に収めることとなった。

当時、スプロールするメキシコシティの中で、所々に広大な土地が取り残されていた。南部に位置するペドレガル地区は火山岩に覆われており、到底人の住めるような場所ではなかったが、その力強い地形の様子から、古くから神話の題材として扱われていた。

このようなペドレガルの神話性に加え個性的な植生と地形が放つ魅力は、バラガンをこの土地の開発事業へと駆り立てるに十分であった。メキシコ人の宿命は、自身のルーツが先住民なのか、メキシコを征服したスペイン人なのか、自問自答しながら生きることである。モダニズムとメキシコの伝統様式の対立の中に自己の表現を見いだしたバラガンの生涯は、こうした歴史的文脈と無縁ではない。この後、バラガンはペドレガルの仕事を通じて、地域固有の場所性と強い結びつきを持つ建築表現をさらに深化させていくこととなる。

人と馬が共生する街

乗馬愛好家であったバラガンは、1958年、メキシコシティ郊外に上流階級のための住宅地、ラス・アルボレダスの計画を始める。それは上流階級のライフスタイルにあわせ、車、馬、歩行者に対し、交通動線を同等に与える画期的なものであった。この直後、人と馬が共生するための住宅地、ロス・クルベス（1961-1972）の開発に着手する。ロス・クルベスは、メキシコシティ北の郊外にあり、ラス・アルボレダスとわずか500mほどしか離れていない。乗馬愛好家が利用するクラブを兼ねた住宅群や街区のスケールはとても贅沢で、道路の規格も馬に合わせて大きく計画されていた。1966年にはこの住宅地のシンボルとして、「ロス・アマンテスの噴水」を築造する。この噴水は、ランドマークであると同時に、馬の散歩の際に脚を冷やす機能を持つものであった。2つの面のコンポジションによる単純な造形で、L字形の壁の上端に送水路を設け、背景の壁は馬の姿が映えるようピンク色に塗装されている。巨大なアートにも見えるが、メキシコにはパブリックアートが街中にあふれているため違和感はなく、むしろ街の風景やスケール感によく馴染んだものになっている。

巨大な彫刻

サテライトタワー（1957-1958、88頁）は、メキシコシティ北西部の近郊に開発された衛星都市「サテライトシティ」の入り口に立つ巨大モニュ

ラス・アルボレダス
Las Arboledas

グリーンベルト。道の突き当たりに大きな白い壁。左には馬の水飲み場がある

馬のための水遊び場

86

メントである。バラガンが基本構想を立案し、芸術家マティアス・ゲーリッツが塔のスケールやプロポーションについて助言を与えるという協働体勢のもとに完成したもので、メキシコの国家的シンボルとして世界的に知られている。膨大な交通量を持つハイウェイの中央分離帯に立つ5本の塔の高さは30〜50mと高低に差があり、それぞれ異なる色で塗装されている。平面形状はいずれもくさび形であるため、正面からは鋭利なエッジを持つ細長い塔、側面からは厚みを持たない平面の重なり、というように、角度によって全く異なる見え方になる。この巨大なスケールは、ハイウェイを走行する自動車の速度に対応したもので、遠くの車窓からは、正面に尖った塔の一部が小さく見えるが、車の移動に伴いその姿を変えつつ近づいていき、あっという間に巨大な壁の横を通過することになる。塔を遠方から見ると、抽象的なオブジェとして認識されるが、近づくと荒々しいコンクリート打ち放しの痕跡がつくり出す縞状のストライプのテクスチャーが現れ、とてつもない迫力を持つ量塊としてそびえている。都市的スケールを持つシンボルでありながら、人間の知覚を絶えず刺激する知的デザインの産物である。

ロス・クルベス
Los Clubes

ロス・クルベスの入り口にある巨大なゲート。セキュリティを重視したゲーテッド・コミュニティとして計画されている

ロス・クルベスのランドマーク、ロス・アマンテスの噴水。2つの面を交差させたシンプルなコンポジション。L字形の壁の上端には送水路が設けられ、プールに大量の水を注ぎ込む

サテライトタワー
Torres de Satélite

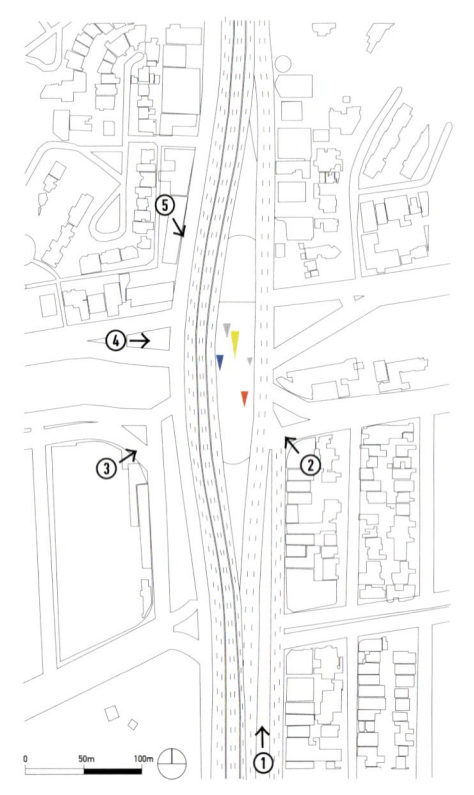

「サテライトタワー」配置。①〜⑤の矢印は写真①〜⑤に対応している

② サテライトタワーを南東から見る。奥の白い塔のみが三角柱として見え、それ以外の塔は面として見える

① サテライトタワーを南遠方から望む。シャープなエッジを持つすべての塔が見える

③ サテライトタワーを南西から見る。塔は厚みを持たない面として見える

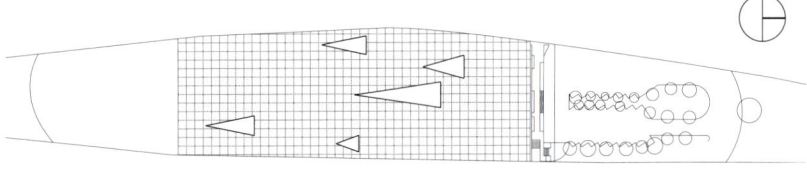

平面 1:2000

④ サテライトタワーを西から見る。奥の白い塔が手前の青い塔の背後に隠れる

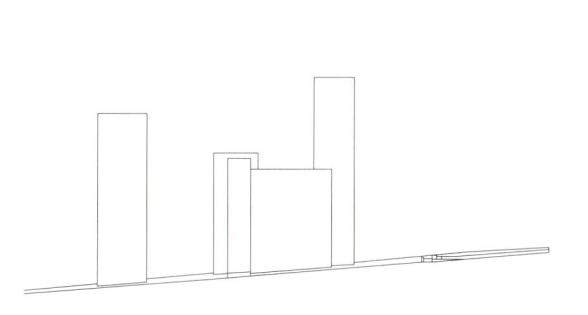

立面　1:2000

⑤ サテライトタワーを北西から見る。敷地には勾配があり、高い場所（手前）から見下ろすと四角く太い塔に見える

5 ／ 重層性

サン・クリストバルの厩舎
Cuadra San Cristóbal
Mayorazgo de los gigantes, Estado de Mexico 1968

　デベロッパーとしてのバラガンが、乗馬愛好家のために計画したメキシコシティ郊外の高級住宅地「ロス・クルベス」の一角に建つ。広大な敷地の外周には塀が巡らされており、内部には外界と隔絶されたユートピアが広がる。中庭の中心には馬が脚を冷やすためのプール。そのほとりにはシンボルとなる大木がメキシコの強い日差しから守る木陰をつくる。中庭の南に配置されているオーナーの邸宅、エゲルシュトローム邸は、南北に延びる長大な壁により東西の住棟に分かれている。壁の東側はアプローチ空間と天井の高いリビングルーム。西側は私的な領域である。厩舎は中庭の東側に配置され、南北に長い切妻の屋根が架けられている。中庭の北側には干し草小屋が建ち、そのピンク色の高い壁はサラブレッドが映える美しい背景となる。このように中庭を中心とする囲みの要素として、人が住む住棟と、馬の住み処である厩舎・干し草置き場が分け隔てすることなく同等に配置されており、見方によっては、人と馬が共存する大きなひとつの「家」として解釈することができるだろう。

　中庭と建物は領域を規定する壁によって構成的に配置されている。南北に延びるピンク色の壁は住棟を貫通し、東の中庭と西のフィールドを隔てる。また、厩舎の南側の東西に延びる赤茶色の壁は、プールに水を注ぐ送水路の機能を果たし、放牧場と厩舎の領域を隔てる。ひとたびこの空間を体験すれば、これらの壁が美しい風景の重なりの中で、重要な役割を担っていることを直ちに了解するであろう。

アプローチから中庭を見る。中央は
プール。右手の赤茶色の壁の内部
は樋の形をした送水路になっている

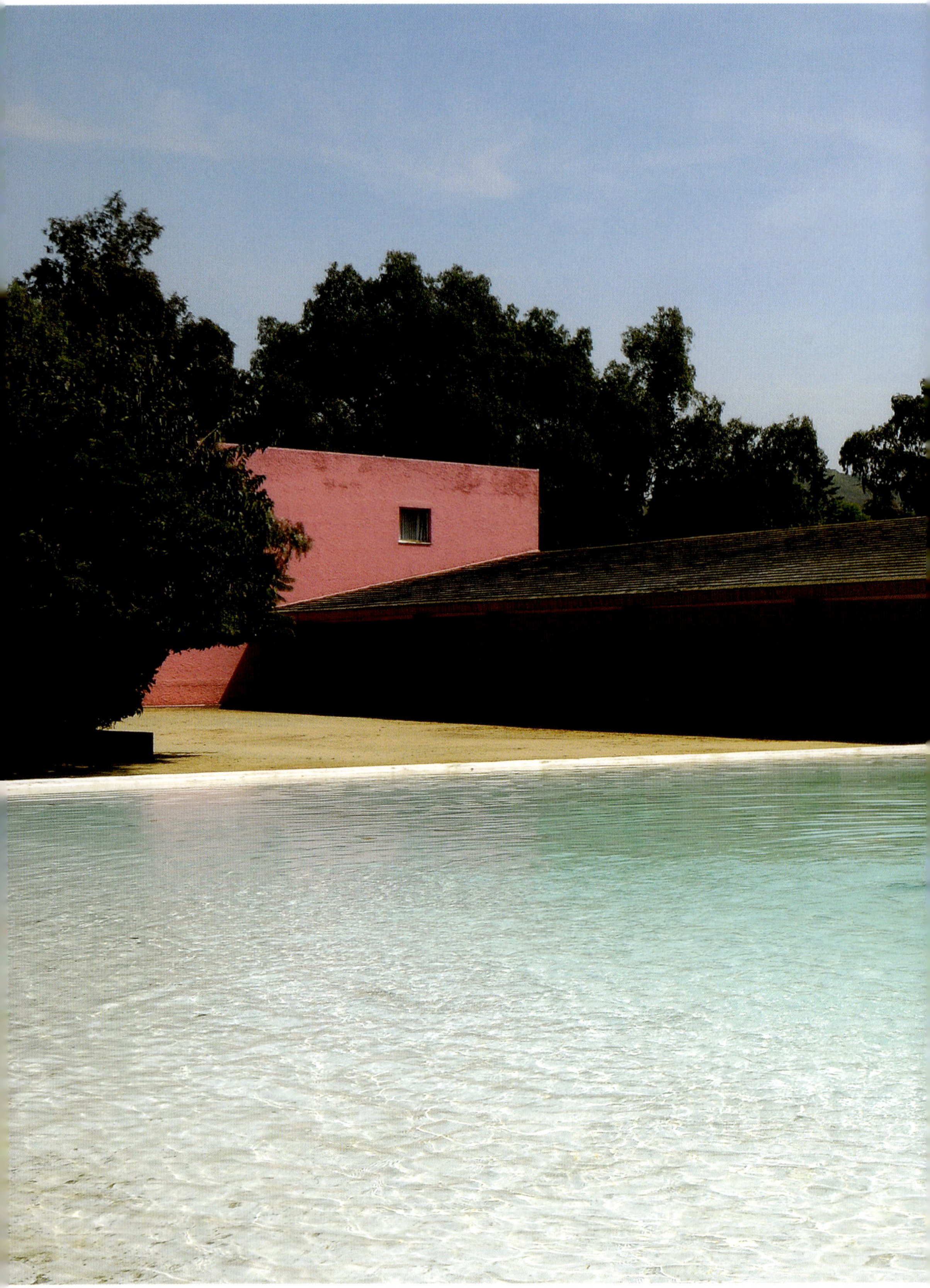

馬が脚を冷やすプールに水が注ぎ込まれる。奥は厩舎。オーナーの愛馬のほか、ロス・クルベスの居住者が所有する馬を預かっている

奥行きを生み出す重層的な空間構成

　門扉をくぐり、塀で周囲から隔絶された内部に足を踏み入れると、地上の楽園ともいうべき美しい空間が広がる。それは、人工と自然の要素が幾層にも重なり構築された奥行きのある風景だ。バラガンは、建物の壁面や自立する壁などの面的な要素を重層的に配置し、幾層にも領域をつくっている。まず、門（エントランス）がある南側から見てみよう。アプローチの進行方向（南→北）から見ると、左手手前にエゲルシュトローム邸の白い壁、右手奥に赤茶色の壁。さらにその奥には樹木が配置され、背景の干し草置き場のピンク色の壁がアイストップとなる。このように南北は大きく4つの領域で構成されている。

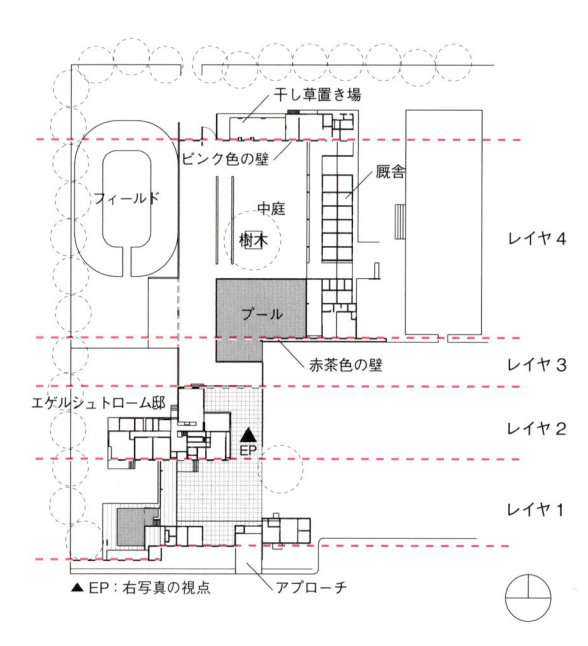

空間のレイヤ（南→北）

エントランスから中庭への眺め。
左手の白い外壁はエゲルシュト
ローム邸。中央はプール。右手
に赤茶色の壁。ランドスケープ
と建築の完全なる統合

次に、このビスタと直交方向（東→西）を見てみよう。これもサン・クリストバルを象徴する風景のひとつである。手前にある厩舎の白い壁により、馬の生活空間と中庭が仕切られる。さらに前方にピンク色の壁。この壁にはサラブレッドがくぐることができる大きな開口が2つあいている。さらに背景には敷地の西側の塀と樹木が控える。東西は大きく3つの領域で構成されている。

　このように、歩を進めるたびに、手前からは見えなかった風景が次々と出現し、新たな景色に遭遇するシークエンスをつくり上げている。近景と遠景を構成する要素を慎重に配置することで、実際の敷地の大きさ以上の奥行き感を生み出していることがわかる。

空間のレイヤ（東→西）

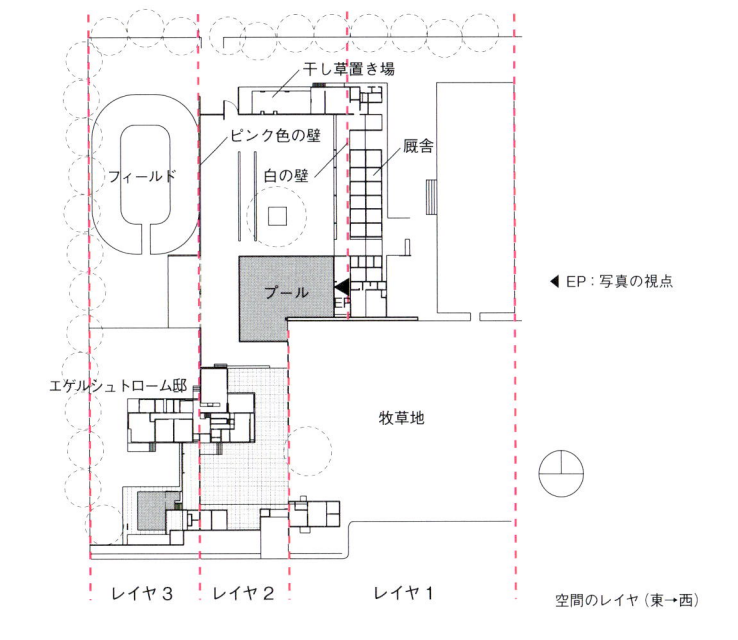

- レイヤ3 / レイヤ2 / レイヤ1
- フィールド
- 干し草置き場
- ピンク色の壁
- 白の壁
- 厩舎
- プール
- エゲルシュトローム邸
- 牧草地
- ◀ EP：写真の視点

澄み切った水をたたえるプール、その背後にそびえるピンク色の壁、遠景の木々と青空、色鮮やかな要素が幾層にも重なり構成される風景。馬の通り道として設けられた2つの大きな開口は、風景を切り取るフレームとなる

空間を切り取るフレーム

　1枚の絵のようにつくられた風景。これを構築するための手法とはいかなるものであろうか。注目すべきは、重層的に配置された壁、そして、そのいくつかが背後の風景を切り取る額縁の役割を果たしていることである。敷地の東西を分断するように配置されたピンク色の長大な壁には、2つの大きな開口が設けられている。この開口は、サラブレッドが騎手を乗せたまま通り抜けることができるよう、馬のスケールに合わせてつくられている。この大きめの開口を通して、遠くにある厩舎や赤茶色に塗られた噴水の壁、さらにその背後にそびえるパドックの樹木といった風景を眺めることができる。サン・クリストバルの厩舎は、各所に散らばる美しい場面をひとつにまとめたアルバムのような建築である。

平滑で抽象的な面
背景としての森
アイストップとなる厩舎の屋根
手前の壁が奥の風景を切り取る

空間を切り取るフレームとしての壁

プール、樹木等の要素の重なり

既舎の前面にそびえる赤茶色の壁

干し草置き場の壁

重層的に配置された3つの壁。それぞれに異なる色で塗装されている。

両側を壁面に遮られた中央の空き

面のコンポジション

　サン・クリストバルにおいては、壁の独立性と自立性が徹底して尊重されている。すなわち、2つの壁が上下で交差する部分においては、決して嚙み合うことなく、1点で交わる。また直交する2つの壁が交わる部分では、接することなくスリットが設けられ、縁が切られている。さらに両者を別の色で塗装するという念の入れようである。こうしたディテールへの執着がなければ、これらの壁面は単なる凡庸な塀としか認識されないであろう。

ボリュームの分節と色彩による分節。遠近感が強調されている

ピンク色の塀と白い壁（エゲルシュトローム邸）との交差部に設けられたスリット

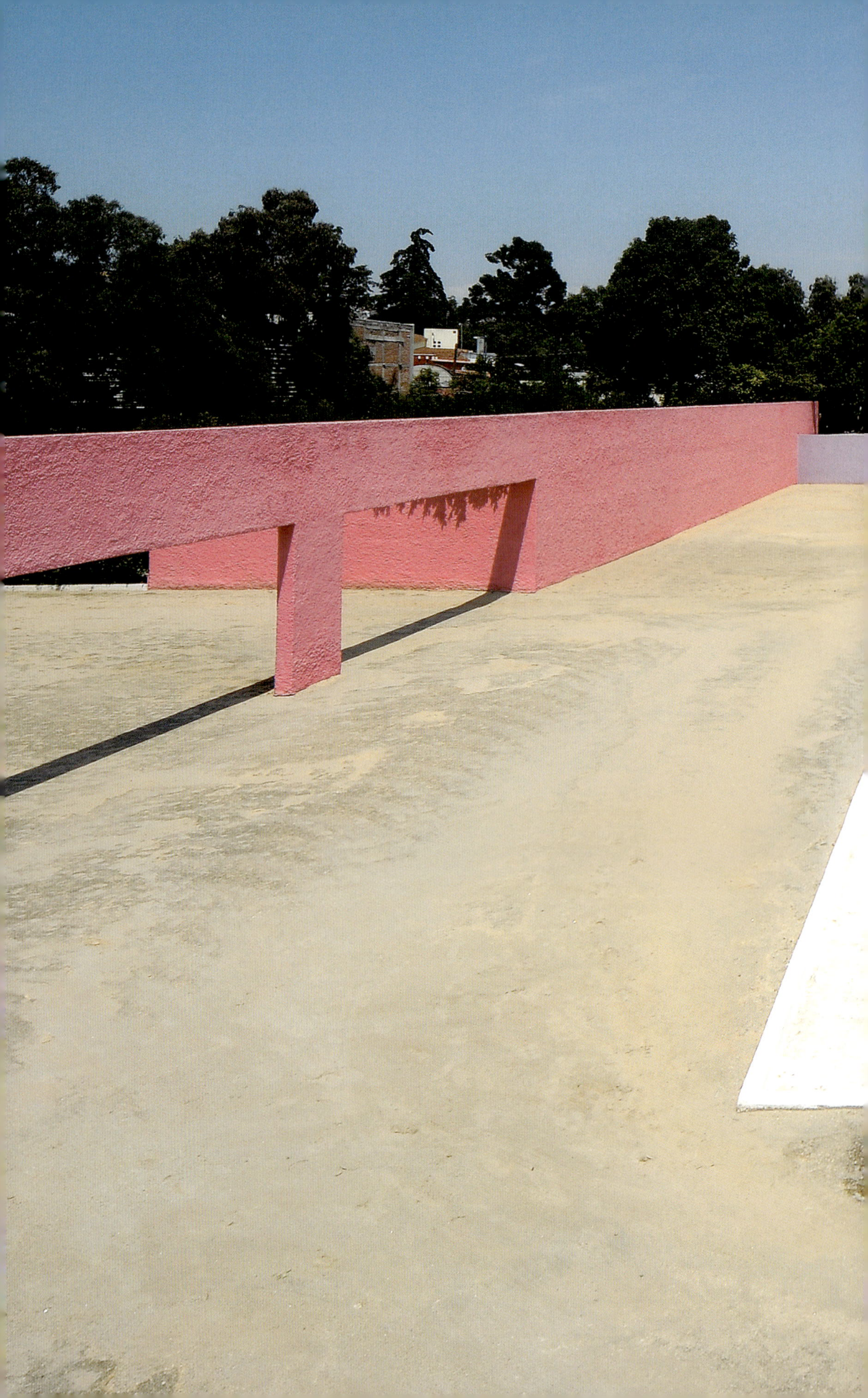

中庭全景。エゲルシュトローム邸
から中庭を見下ろす

他の作品にみる　重層性

ヒラルディ邸

　バラガンの住宅作品の中でも比較的狭い敷地に建つヒラルディ邸は、間口が狭く奥行きが深い長方形の平面を持つ。手前のエントランスからコリドールを通り、一番奥のプールへとつながる。この経路に対し複数の空間のレイヤが重層的に設けられ、ドラマチックにプールへと誘うように計画されていることがわかる。

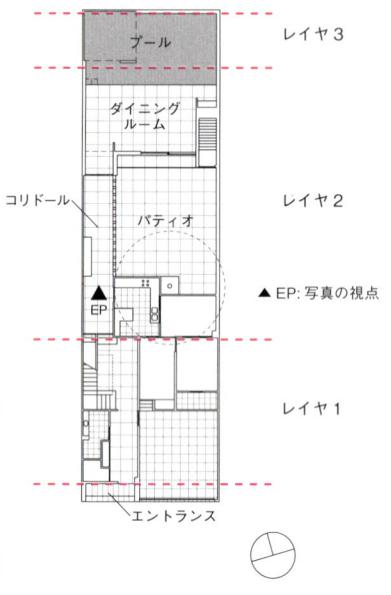

プール　レイヤ3
ダイニングルーム
コリドール　パティオ　レイヤ2
▲ EP: 写真の視点
EP
レイヤ1
エントランス

空間のレイヤ（南→北）

コリドールから奥のダイニングルームを見る

104

プリエト・ロペス邸

　プリエト・ロペス邸の門扉をくぐると、広々としたエントリーコートヤードに入る。玄関の低いボリュームの背後に大きなメインボリュームが控えている。さらに天井が高い玄関ホールに入ると、玄関ホールと奥のリビングルームを分節する腰壁、リビングルームに架けられた大梁が動線に対し重層的な境界面を構成し、奥行きの深い空間をつくり上げている。

空間のレイヤ（北→南）

エントリーコートヤードからエントランスを見る。手前の小さなボリュームと奥の大きなボリュームの重なり

リビングルーム。フレームのような窓を通して奥の庭を眺めることができる

6　色彩と光

ヒラルディ邸
Casa Gilardi
San Miguel Chapultepec, Mexico D.F. 1978

　サン・クリストバルの厩舎以降、隠遁生活を送っていたバラガンが、約10年の沈黙を破り、オーナーであるフランシスコ・ヒラルディの依頼に応えて設計した晩年の作品。幾何学的で簡潔なインターナショナルスタイルのデザインを踏襲しつつも、メキシコの土着的な色彩を大胆に取り入れた都市型住宅である。間口が狭く細長い敷地形状（10m × 35m）で、バラガンがそれまで設計してきた大きな邸宅に比べると制約の多い土地であった。そこにベッドルーム、リビングルーム、階段ホールなどを配置した3層のボリュームと、ダイニングルームとプールを配置した平屋のボリュームをコリドールで連結した構成を持つ建物を敷地いっぱいに建てた。カナリア色の光に満ちた細長いコリドールから、ダイニングルームに至る長いシークエンスは、その先に待ち構える場面への期待をいやが上にも高めるだろう。コリドールの奥にあるダイニングルームは、紛れもなくバラガンが生涯をかけて到達した美の極致である。手前のフロアと奥のプールに2分割され、背景となる壁は鮮やかな青、白で塗装されている。プールの水盤には鮮烈な赤に塗られた象徴的な壁柱が屹立し、重力を失ったかのように水に浮かんで見える。ハイサイドライトからの光は青い壁にあたり、水中まで射し込む。抽象的で色彩豊かな空間を舞台に、刻々と変化する光により季節と時間の様相が表現された至高の空間である。ダイニングルームの南側には、壁一面に大きな開口が設けられ、ハカランダの樹が生い茂るパティオに向けて開かれている。

階段ホールを通過すると長いコリドールに出る。右手の連続スリット窓には着色したガラスが嵌め込まれており、空間全体がカナリア色の光で満たされる。突き当たりにダイニングルームの青い壁が見える。歩を進めるに従い、徐々に空間の全容が現れるシークエンス

日没後のプール。赤い壁の背後に設置された照明が水中を照らす。水がソリッドな固体に見える。壁と天井も素材感を喪失し、抽象的な平面グラフィックのように見える

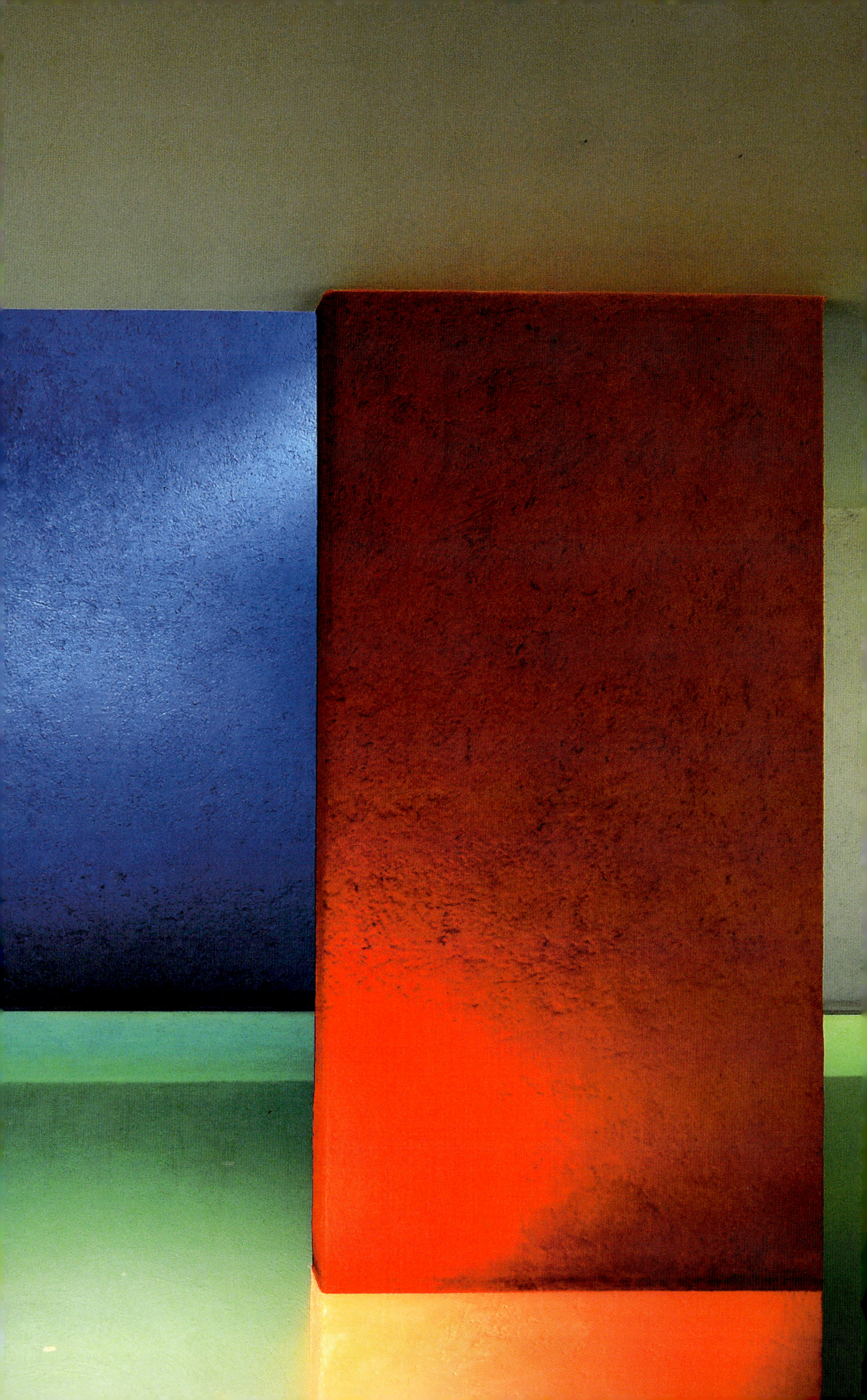

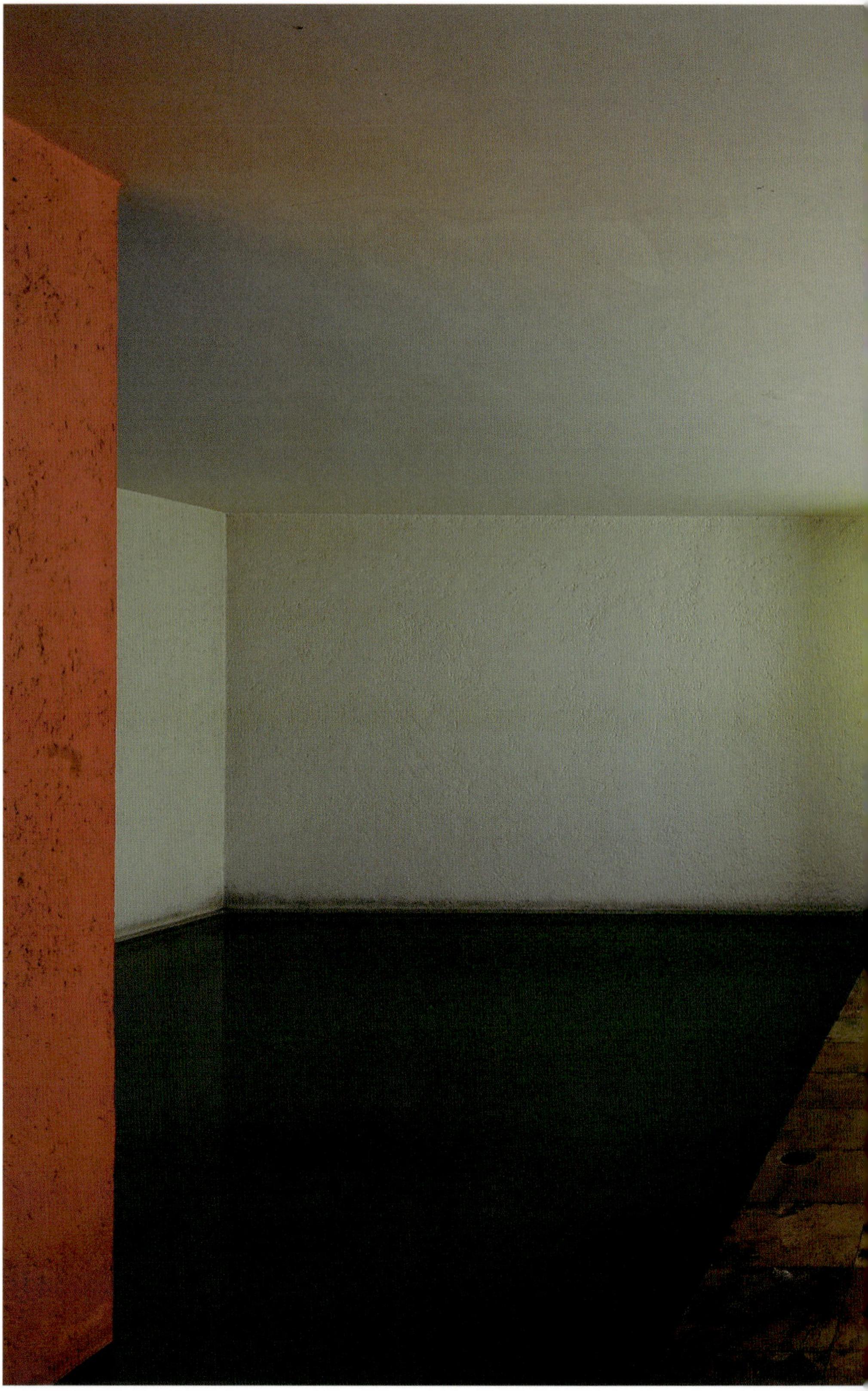

ダイニングルームの左手半分は室内に設けられたプール。テーブルの奥の白い壁の裏側にはトップライトがあり、カナリア色の光が淡く射し込む

シークエンスと色彩

　1940年代後半から、バラガンはカラフルな色彩を壁や天井に塗装する方法を模索し始め、やがて彼のアイデンティティとして定着していくが、その実践を支えたのは、友人でアーティストのチューチョ・レイエスである。彼は、建設中の現場に訪れては、色彩に関する助言を与えていたという。チューチョはメキシコの古美術に造詣が深く、色彩のエキスパートであったため、バラガンの彼に対する信頼はとても篤いものであった。ヒラルディ邸はチューチョの没後に設計したため、バラガンが彼の教えを継承し、独自に色彩の計画を行ったものである。外部はピンク、薄紫を配した大胆な色づかい。対照的に内部は白い壁を基調とし、抑制的である。そのためコリドールやダイニングルームの鮮やかな色の体験は相対的に強められることとなる。バラガンが緻密にシークエンスと配色の関係を検討した痕跡が認められる。

上部から光が降り注ぐ階段ホール。直進するとコリドールに続く奥にプールの青い壁が見える。左手は2階に上る階段。バラガンは手摺のない階段を好んで設計した。奥行きのあるシークエンスに異なる色彩によって性格づけされた空間が存在している

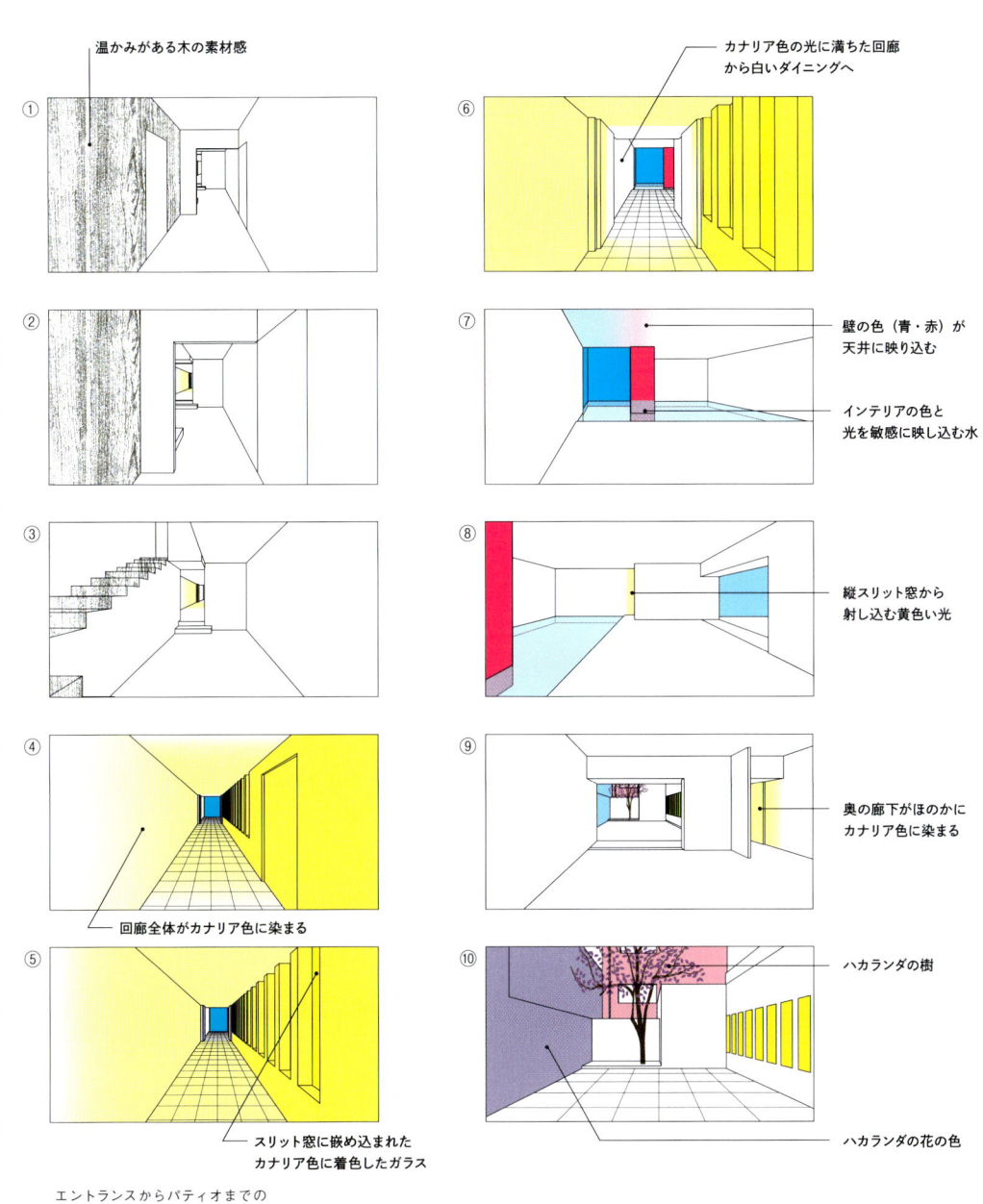

① 温かみがある木の素材感

⑥ カナリア色の光に満ちた回廊から白いダイニングへ

②

⑦ 壁の色（青・赤）が天井に映り込む

インテリアの色と光を敏感に映し込む水

③

⑧ 縦スリット窓から射し込む黄色い光

④ 回廊全体がカナリア色に染まる

⑨ 奥の廊下がほのかにカナリア色に染まる

⑤ スリット窓に嵌め込まれたカナリア色に着色したガラス

⑩ ハカランダの樹

ハカランダの花の色

エントランスからパティオまでの
シークエンスと色彩（①→⑩）

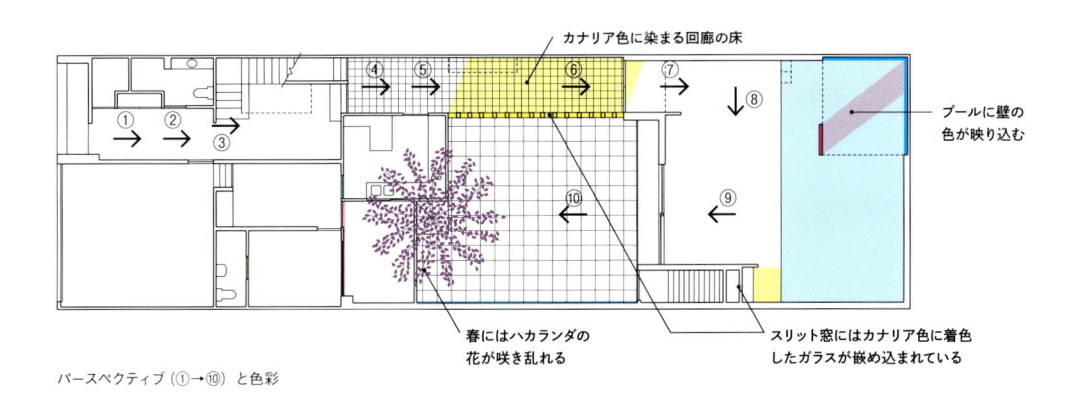

カナリア色に染まる回廊の床

プールに壁の色が映り込む

春にはハカランダの花が咲き乱れる

スリット窓にはカナリア色に着色したガラスが嵌め込まれている

パースペクティブ（①→⑩）と色彩

土着的な色彩の抽出とその配色

　ヒラルディ邸では8色もの色が使われており、バラガンの作品の中でも特に色彩豊かな建築である。バラガンの色彩に対するこだわりは、メキシコの土地や自然の中に見いだされる色彩を抽出するというものであった。ピンク、緑、青、薄紫といった鮮やかな色は、メキシコの強い日差しのもとでこそ美しく映え、青い空や豊かな植生を持つ風土と呼応する。あるいは、伝統的な街並みや民芸品など土着的な文化の中に見られる色彩でもあったのだ。街並みにあふれる木々の緑に対し、背景となる外壁のピンク色が鮮やかに際立つが、これは緑色とピンク色が補色の関係にあるからである。バラガンは建設中の現場に頻繁に訪れ、開口部から射す光の様子を注意深く観察しながら壁の色を決めていた。色彩学的知識を引用しつつも、それは机上のものではなく、経験に裏づけされたものであった。

パティオの中心にはハカランダの樹が生い茂る。左手の壁は春に咲く薄紫の花の色に合わせて塗装されている。正面の3層のボリュームは鮮やかなピンク色

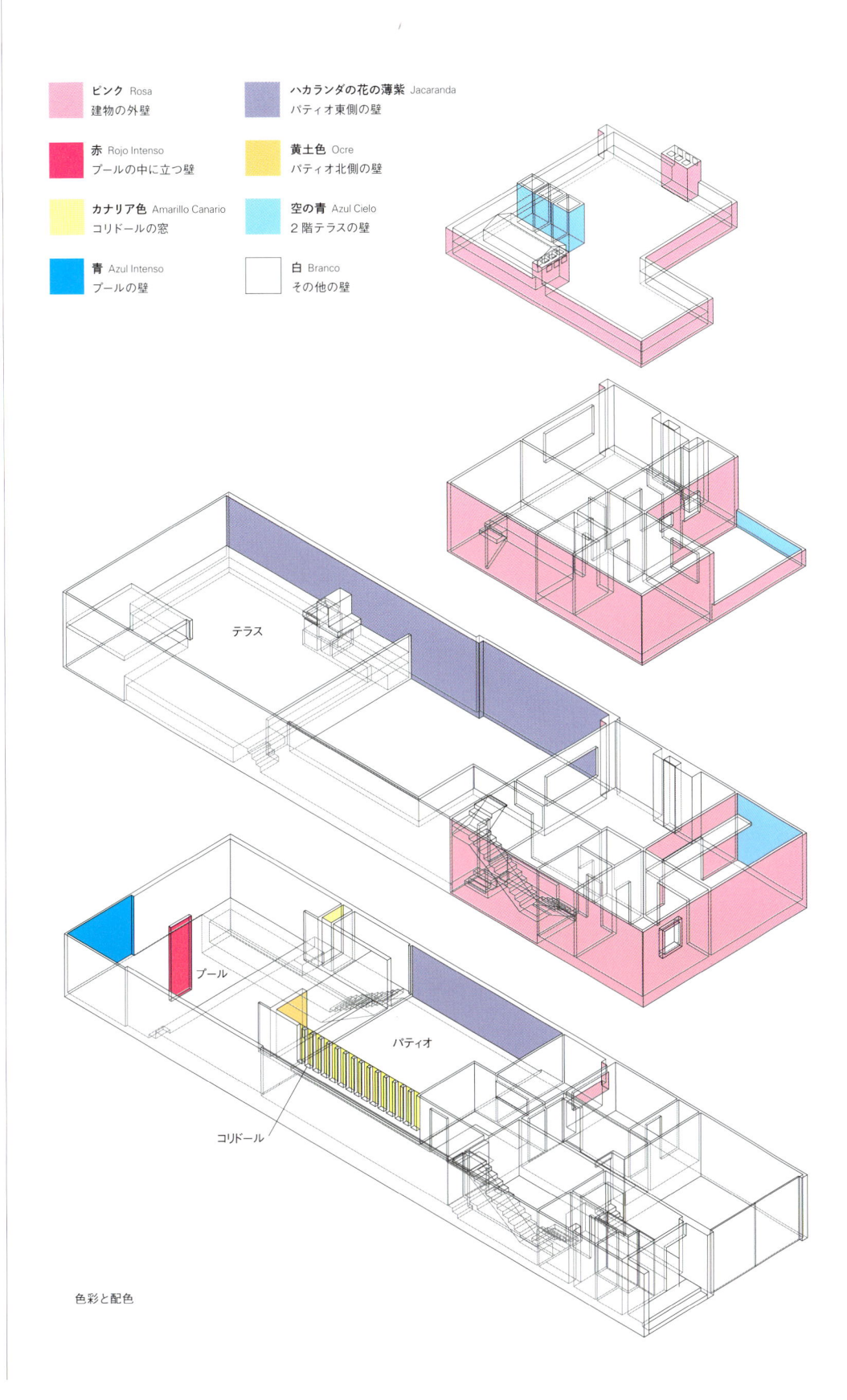

ピンク Rosa 建物の外壁		ハカランダの花の薄紫 Jacaranda パティオ東側の壁	
赤 Rojo Intenso プールの中に立つ壁		黄土色 Ocre パティオ北側の壁	
カナリア色 Amarillo Canario コリドールの窓		空の青 Azul Cielo 2階テラスの壁	
青 Azul Intenso プールの壁		白 Branco その他の壁	

テラス

プール

パティオ

コリドール

色彩と配色

時間の推移と光の変様

　プールの上部にはハイサイドライトが2つあり、ひとつは東南東、他方は南南西に対して開かれている。そのため太陽高度が低くなる10月から2月の午前中に直射光がプールに落ちる。鏡のような水面を境界として、直射光は反射光と屈折光の2つに分かれる。屈折光は水中で輝度を弱めながら淡く光を発し、反射光は壁と天井を照射する。塗装仕上げの天井は光をさらに拡散させ、空間全体に光の階調が生まれる。直射光、水面に映る反射／屈折光、天井面の拡散光の3つの異なる光は季節と時間によって移ろい、空間は常に変様する。また夜には月明かりがハイサイドライトから射し込み、昼とは異なる表情を見せる。

1月19日午前10時頃。
1方向から光が入る

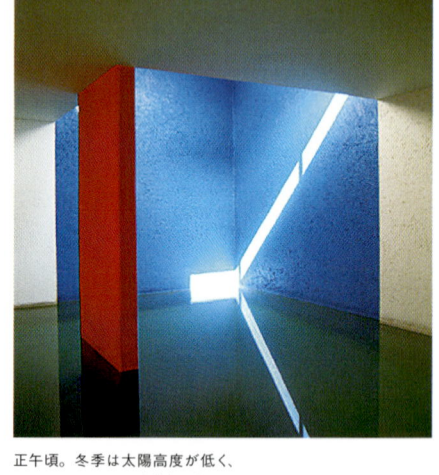

正午頃。冬季は太陽高度が低く、
ハイサイドライトから直射光が入る

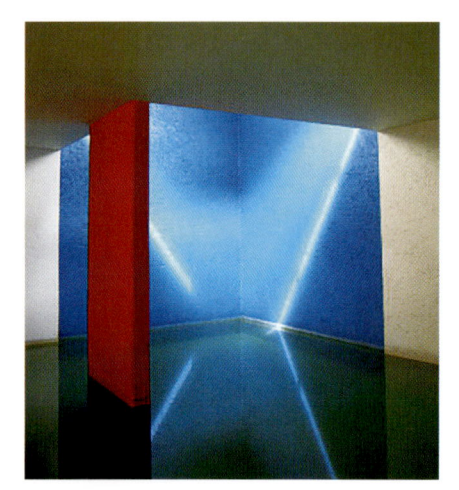

正午以降は2方向から光が入るが、
徐々に東南東からの光は弱まる

午後2時頃。南南西のハイ
サイドライトからのみ光が入る

受光面のテクスチャーと光の染色

バラガンは、モルタル掻き落としの上に塗装した壁を好んで多用した。仕上げ面に荒々しい凹凸があると微妙な陰影が現れ、光の階調が豊かになる。一方で、ダイニングルームの東側の白い壁は、左官で平滑に仕上げられ、陰影がシャープである。このような受光面の素材の選択とテクスチャーの使い分けに細やかな配慮が発見できる。さらにバラガンの光の設計で特筆すべきは、色つきのガラスや格子のような一種のフィルターに光を透過させることにより、光をフィルターの色に染める方法を発見したことであろう。たとえば、コリドールでは、パティオからの光を窓に嵌められたカナリア色のガラスを透過させることで、白く塗装された空間全体が黄色の光で満たされている。

鮮やかなピンク色の外壁を背景に木々の緑が映える

黄色の光に満たされたコリドール。ダイニングルームから階段ホールへの見返し。ガラスはカナリア色に着色され、斑点状の文様が施されている

他の作品にみる　光と色彩

色彩と光の混合

　ガルベス邸では、白く塗装された壁、天井を基調としつつ、鮮やかなピンク色やアクセントとなる差し色を効果的に配置している。特に塗装された鮮やかなピンク色の庇や外壁を内部の壁、天井として貫入させることで、内外を連続させようとする明確な意図がある。インテリアでは、白い部屋とピンク色の部屋の接続部における両者のコントラストがとても美しい。また、壁も天井も白い応接室では、外部の水盤を囲むピンク色の壁に反射した光が大きな窓から差し込み、本来白い壁がピンク色のグラデーションに染まる現象を体験することができる。

ガルベス邸

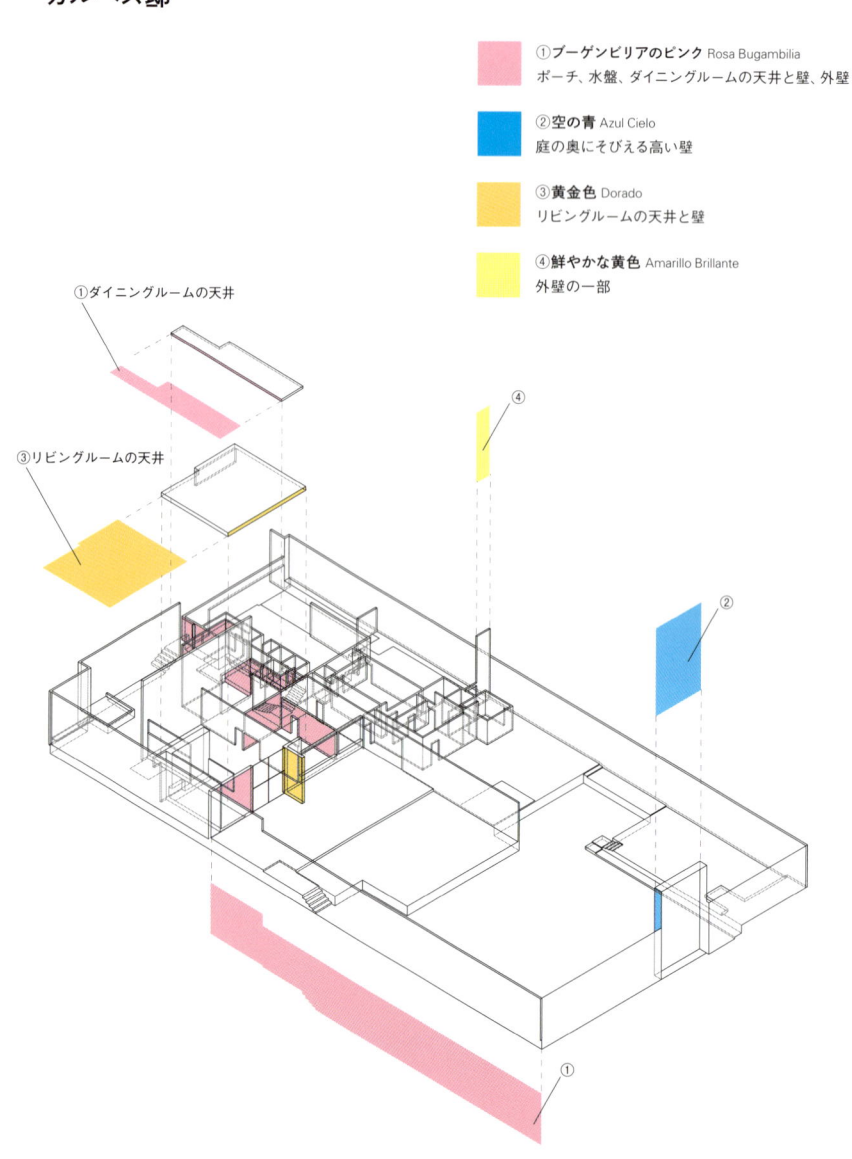

① ブーゲンビリアのピンク Rosa Bugambilia
ポーチ、水盤、ダイニングルームの天井と壁、外壁

② 空の青 Azul Cielo
庭の奥にそびえる高い壁

③ 黄金色 Dorado
リビングルームの天井と壁

④ 鮮やかな黄色 Amarillo Brillante
外壁の一部

① ダイニングルームの天井
③ リビングルームの天井

118

このような染色された光と受光面の色の混合はトゥラルパンの礼拝堂にも認められる。礼拝室の壁はそれぞれ微妙に異なる色に塗装されている（下図①②③）。ステンドグラスの透過や着色された壁からの反射を経て染色された光は、それぞれの壁の色と混合し、複雑な色合いを持つ壁へと変貌する。

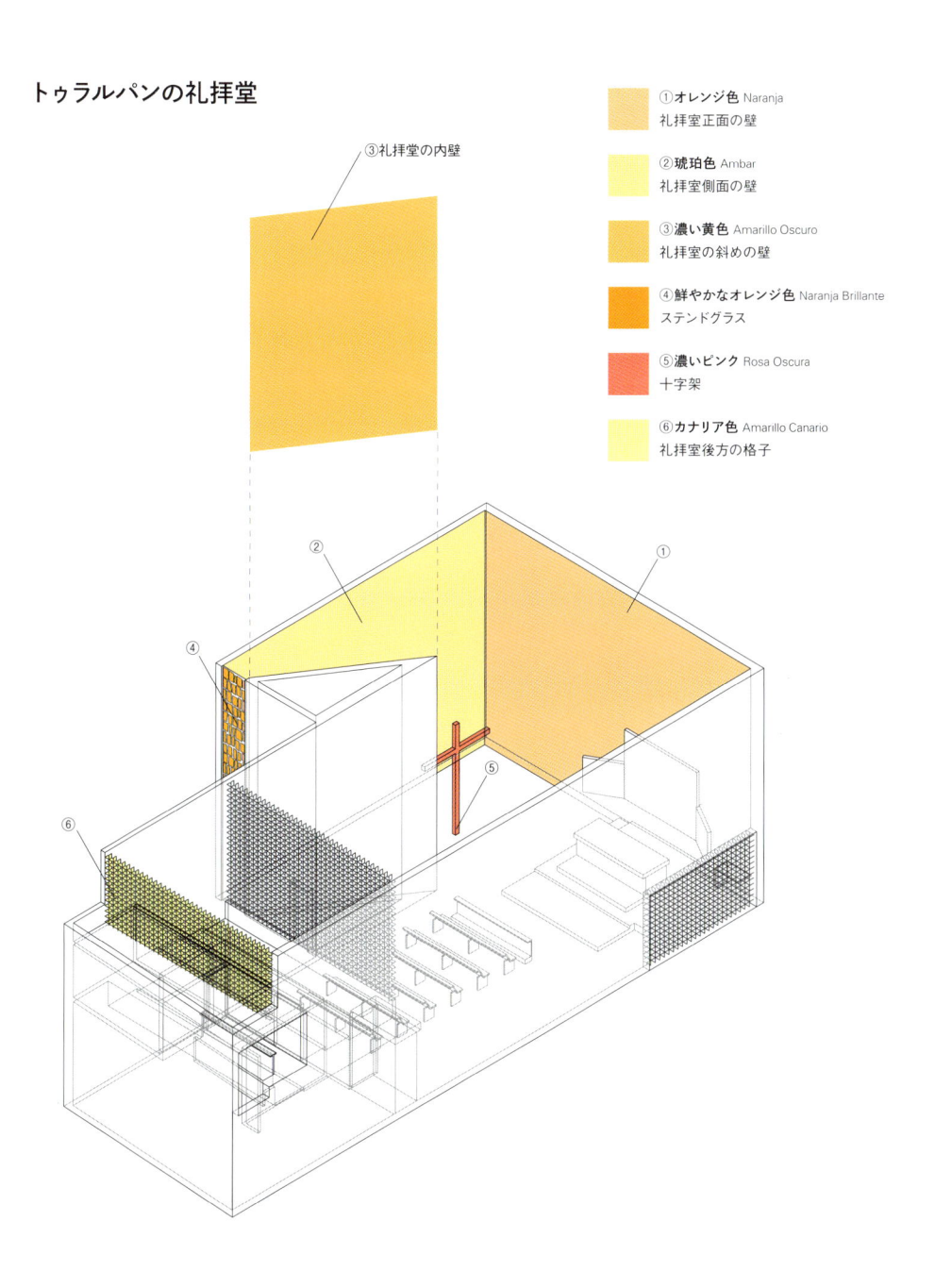

トゥラルパンの礼拝堂

③礼拝堂の内壁

①**オレンジ色** Naranja
礼拝室正面の壁

②**琥珀色** Ambar
礼拝室側面の壁

③**濃い黄色** Amarillo Oscuro
礼拝室の斜めの壁

④**鮮やかなオレンジ色** Naranja Brillante
ステンドグラス

⑤**濃いピンク** Rosa Oscura
十字架

⑥**カナリア色** Amarillo Canario
礼拝室後方の格子

Essay

絵画的空間の集合体としての建築
大河内 学

バラガンの建築とは

ルイス・バラガンはメキシコ・モダニズムにおいて先導的役割を果たし、批判的地域主義を代表する建築家の一人として評価されている[1]。近年、様々なメディアを通じて世界に紹介されたほか、1980年には名誉あるプリツカー賞を受賞するなど、世界的建築家の称号を確固たるものとしたが、作品の質の高さとは対照的に世界の建築史における存在は驚くほど小さいといわざるを得ない。その理由としては、近代建築の潮流の中でバラガンの建築思想がきわめて異端であったこと、メキシコの地理的なハンディキャップなどがあげられる。一般的な彼の作品のイメージは、土着的な建物を参照した鮮やかで独特の色づかい、巧みな光や水の設計といったものであろう。その作品からは、陽気で明るいメキシコの風土と似つかわしくない、孤独、寂寥感を漂わせた神秘性を感じる。このように彼の建築があまりに美しく、感情に訴える空間性を備えているため、空間の現象や審美性に焦点が当てられることが多いが、その背景に潜むバラガンの設計意図や空間の構成原理について詳らかに説明したものは少ない。

シュルレアリスム絵画への傾倒

バラガンの美学と建築思想の形成期において、フランスの庭園家、フェルディナン・バックをはじめ、チューチョ・レイエスらの芸術家との交流を通じ、彼らの思想に強い影響を受けたことが、その後のバラガンの作品の性格を決定したといっても過言ではない。特にバックの小説『レ・コロンビエール』(1925)から風景の構図づくりの重要性を学んだことは、バラガンにランドスケープと建築を創造する上での美学的根拠を与えた。また、バラガンがシュルレアリスムに関する資料を熱心に収集し、強い関心を抱いていたことはよく知られている。数多く存在したシュルレアリストの中で、特にジョルジュ・デ・キリコの絵画に影響を受けていることはバラガン自身が率直に言明している。それでは、バラガンがキリコから受けた影響とは具体的にどのようなものであったのだろうか。バラガンの建築とキリコの絵画を比較すると、1)遠近感の過度なまでの強調、2)孤独、寂寥感、静謐の表現、3)平面の重ね合わせ、4)光と影の強い対比、など多くの共通点を見いだすことができ、キリコやバックの絵画における表現技法を建築の設計に応用しようと試みたことがわかる(図1)。

メディアとしての建築

バラガンの芸術に対する関心は建築にとどまらず、絵画、彫刻、さらに写真の世界にまで及んだ。建築史家のビアトリス・コロミーナが指摘したように[2]、ル・コルビュジエは、メディアとしての建築を初めて意識した建築家として知られているが、この時代にバラガンほどメディアとしての建築を強く意識した建築家はいない。マティアス・ゲーリッツの証言によれば、「バラガンは写真家を注意深く選び、ある一定の写真画像(イメージ)の種類と質を達成す

るために写真家と密接に作業し、これらの写真画像の使われ方と解釈に対して彼が制御し得る限りのことを行い、彼の作品の写真表現に惜しみなく多大な注意を払った」という[3]。その通りバラガンは、写真家のアルマンド・サラス・ポルトゥガルを起用し、撮影の際に写真の構図を細かく指定している。この一人の写真家との協働は1944年から1976年までの長きにわたった。当時、土地開発などの投機的なビジネスに取り組んでいたバラガンは、作品の商業的価値を強く意識していたはずであるし、自分の作品がどのようなイメージを持って流通するかが、芸術上の作家性と比較しても十分すぎるほど大きな意味を持っていた。バラガンにとってフィジカルな建築作品と2次元の表現媒体である写真が等価であったことは彼の建築を読み解く上での鍵となるだろう。

図1 ジョルジュ・デ・キリコ「通りの神秘と憂愁」1914年
©SIAE, Roma & JASPAR, Tokyo, 2015
C0590

パースペクティブ的思考とその集積

バラガンが遺したスケッチを改めて眺めてみると、決して絵心があったわけではなく、むしろ不器用な人間であっただろうとつくづく思う。バラガンは建築工事中も現場に足繁く通い、実際にその場に立ち、イメージにそぐわないところがあれば、壁を壊してやり直したりすることさえあったという。また、バラガンは自ら図面を描くことはなく、事務所のアシスタントへの空間イメージの伝達手段はスケッチに頼っていた。そして彼が遺したスケッチのほとんどはアイレベルから見たパースであり、平面図や立面図といったいわゆる建築的な図法によるものではなかった（図2）。きわめて直接的で原始的な設計法である。

また、多くの建築家が空間のイメージを構築する際に平面図などの俯瞰的な視点を思考の拠り所とするのに対し、バラガンは、アイレベルから見たパースペクティブをもとに空間を構想していたことに注目したい。通常の設計プロセスにおいては、はじめに作品の全体性を構想し、次第に細部の設計を行うのが一般的であるが、バラガンの設計法においては、むしろ小場面のイメージの集積に

図2 「ロマス・ヴェルデス」1966年。バラガンによるパース
©Barragan Foundation Switzerland / JASPAR, Tokyo, 2015
C0572

より全体を構築していた可能性が高い。あらかじめ建物全体の中で、その建物を代表するいくつかのパースペクティブを想像し、その集合として全体像を決めていくプロセスは、建築物の複製である数枚の写真がリアルな建築と同等の意味を持っていた事実と符合する。

上記のように、バラガンが、1）シュルレアリスム絵画とバックの構図に傾倒していたこと、2）写真という媒介を通じて流通する作品のイメージに多大な関心を寄せていたこと、3）平面ではなくパースペクティブを頼りに設計を進めていたことを踏まえた上で、具体的なバラガンの設計手法を見ていこう。

実空間の平面への還元

　バラガンが創造した空間はいずれも美しい1枚の抽象画のようだ。その理由のひとつは、ある場所から見たボリュームや壁の配置を審美的な観点から緻密に検討し、1枚の情景として成立させていることである。さらに絵画的な印象を強めているのが、空間を切り取るフレームの働きを持つ面的要素である。「サン・クリストバルの厩舎」(1968)では、ピンクに塗装された長大な壁を南北に配置し、敷地を東西に二分している。東西のどちらの場所から見ても奥の風景がこの壁の額縁により切り取られて見える(写真1左)。同様のことはインテリアでも見られる。たとえば「ルイス・バラガン邸」(1948)では、ライブラリーからリビングルームへとつながる一連の空間において、手前のコの字の形の壁が奥の空間を切り取るフレームとなり、さらに奥には手前と左右反転した形のコの字壁が奥のリビングルームへの見えに対する額縁となっている(写真2左)。

　「360度の全景のテーマを誇張しすぎるべきではない。適切な前景に向けられ縁取られた景色は2倍の価値があるからだ」[4]。バラガンが遺した言葉である。バラガンは若い頃から熱心なアマチュアカメラマンであったことが知られているが、ファインダーから空間を覗き込み構図を決定するという行為が完全に身体化されていたのかもしれない。バラガンの狙いは、明らかに3次元の実空間をフレームに切り取られた平面に還元することであった。また、同時に反対の解釈も成り立つであろう。つまり、枠に切り取られた平面的な情景の中にいかに奥行きを伴うパースペクティブを埋め込むかということである。

　バラガンは、アメリカの巨匠ルイス・カーンに「ソーク生化学研究所」(1965)の中央広場のデザインに対する助言を求められた際にこう述べたという。「もしここをプラザにすれば、ひとつのファサードができる―空へのファサードが」[5]。大平洋の大海原へと向かう広場の壮大な風景を1枚の平面(ファサード)と見立てたこの言葉は、バラガンの思考を端的に示すものとして大変興味深い。

壁の重層的な配置

　「サン・クリストバルの厩舎」のアプローチから中央の広場を望むパースペクティブはきわめて印象的である(写真1右)。手前左手にエゲルシュトローム邸の白い外壁があり、右手奥に赤茶色の壁。この2つの壁が敷地中央のフォーカルポイント(厩舎の中心にある水盤と大きな樹木)を切り取るフレームの機能を果たしている。さらに一番奥にある干し草置き場のピンク色の外壁がアイストップとなり、さらにその背景の森へとつながる。また、「プリエト・ロペス邸」(1950)でもこれときわめて類似した手法が見られる(写真3)。エントランスホールに入ると、正面にメイン・ダイニングルームと手前の空間を仕切る壁がある。この壁の左手には大きな開口があけられており、奥のリビングルームへとつながる空間を切り取るフレームとなっている。リビングルームは大きな2つの大梁により大きく3つの領域に緩やかに分節され、リビングルームの突き当たりの壁、さらにその壁にあけられた大きな開口から広大な庭園へと続く。

　このように、バラガンの空間構成手法における特徴のひとつは、複数の壁を平行に配置することで、重層的な空間の領域を構成するというものである。このような多層的な空間構成により、奥行きのある情景を生み出していることがわかる(図3)。

遠近感の強調

　これまでの論考で浮き彫りになったのは、バラガンの建築において空間の奥行き感が重視されている点である。前述のように、バラガンが影響を受けたとされるキリコの絵画には、極端に遠近感を強調する表現が見られる。「通りの神秘と憂愁」(1914、121頁図1)では、不整合性な複数の焦点を持つ極端に誇張された遠近法、同一要素(アーチの開口など)の反復により、必要以上に奥行きを

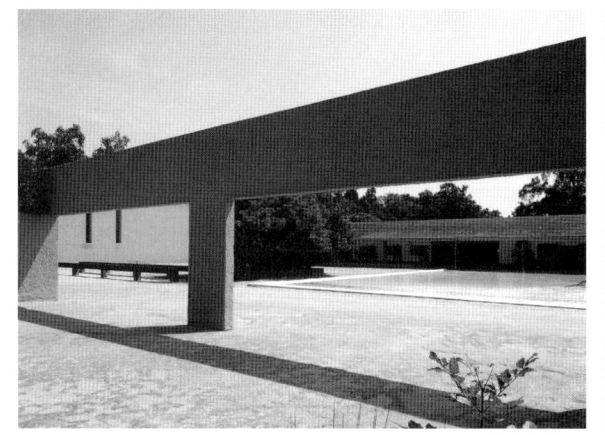

写真1 「サン・クリストバルの厩舎」1968年

写真2 「ルイス・バラガン邸」1948年

写真3 「プリエト・ロペス邸」1950年

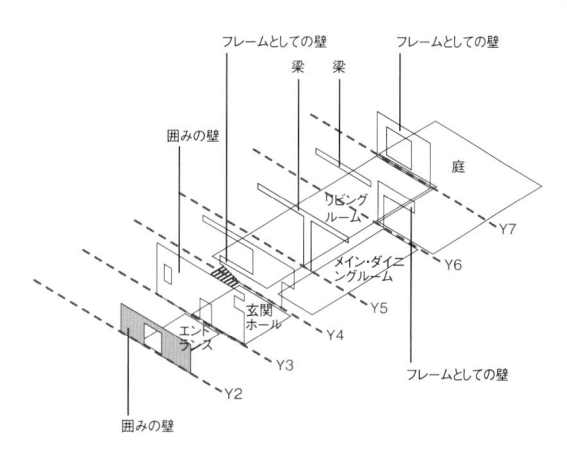

図3 「プリエト・ロペス邸」層状の空間構成と壁の配置

持つパースペクティブが表現されている。このように遠近感を強調する仕掛けはバラガンの作品の中にも明確に認められる。「サン・クリストバルの厩舎」における長い壁はただでさえ広大な敷地をより伸びやかでおおらかなスケール感へと増幅している。また、「ヒラルディ邸」(1978) のコリドールでは、中庭側の壁に設けられたスリットの開口が南北方向に連続し、細長い空間のプロポーションをより強調する役割を果たしている (写真4左)。こうした「同一要素の反復」はバラガンが好んで用いた手法である。

さらにバラガン邸のライブラリーを見てみよう (123頁写真2右)。ライブラリーの奥の中2階レベルには小さな書斎が設けられている。ライブラリーと書斎を隔てる壁は天井まで達することなく、書斎の椅子に座ったときにちょうど視線が隠れるくらいの高さとなっている。このことにより、ライブラリーと書斎は隔たっていながらも空間的につながり、ライブラリーから書斎への見えにおいて、壁と天井と間の「透き」が壁の背後に書斎が存在することを暗示している。バラガンは壁の重層的な配置に加えて、いくつかの方法を複合的に用いることで「奥行き」を生み出しているのだ。

面の自立性

バラガンの建築空間の組み立てにおいて、面 (=壁) が主要な要素であることはすでに述べたが、特筆すべきは面の扱いにバラガン独特の個性が現れていることである。まず、バラガンは面の自立性を尊重し、2つの面が取り合うコーナー部が決して線で納まることがないよう、2つの面を交差させることで互いが一点で交わるように構成している。このような納まりは、「ロス・アマンテスの噴水」(1966、写真5) や「サン・クリストバルの厩舎」をはじめとする数多くの作品に見られ、デ・スティルの構成原理と通じるものである。また、バラガンは壁面の無駄な装飾を排除し、単純な矩形の形状を採用するなど、徹底して面の抽象化を図っている (ただし、これは遠くから眺めた場合の抽象性であ

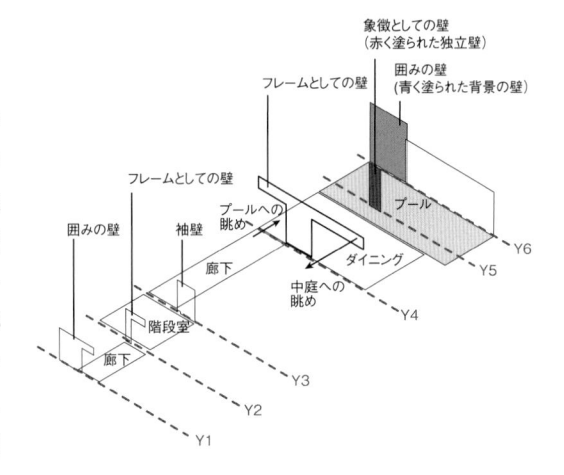

図4 「ヒラルディ邸」壁の配置と性格

り、近くに寄るとラフな塗装の痕跡や素材の肌理が饒舌に語りかけてくるのであるが)。こうした操作の巧妙さにおいて際立っているのが「ヒラルディ邸」のコリドールから食堂のプールへの眺めである (写真4右)。食堂の奥には水盤が張られ、中央には赤く塗装されたモノリシックな壁が立つ。背後の壁は右側の白い壁と左側の青い壁に塗り分けられているが、2色の境界は赤い壁の背後に隠されており、同一平面にありながらも異なる面に存在するように錯覚する。また、左手の白い壁はプールの奥に向かって滑り込み、途中で青色に塗り分けられているが、ちょうど2色の境界には段差が設けられており、青色の面の方が、数十mm負けて面落ちしている。このように微細なディテールに対するこだわりがあってこそ、それぞれの面は同一化することなく自立して存在するのである。面への鮮やかな彩色はバラガンの建築の最も目を惹くアイデンティティであるが、恣意的に塗られているのではなく、面の自立性を最大限に尊重した結果であるのだ。

バラガンの設計プロセスは、アイレベルから見たパースのスケッチ、そして現場での破壊と構築といったきわめて原始的かつ泥臭いもので決して洗練されてはいなかった。しかし、バラガンの空間デザインは、恣意的なものではなく、明確な方

写真4 「ヒラルディ邸」1978 年

法論に基づくものであった。具体的には複数の壁を重層的に配置し、また一見等しく見える壁にも、「フレーム」「象徴」「フィルター」「アイストップ」といった異なる機能を与えた上で空間の構図を組み立てていた（123頁図3）。

バラガンはフィジカルな3次元の空間をいかにフレームに切り取られた平面として配置し、絵画的な風景を創造するか、また反対に、その平面の中にいかに奥行きを埋め込むかという空間の弁証法の中に自らの作家性を確立した。さらにこうして創造したいくつかの絵画的シーンを実の建築から抜き取り、独立したもうひとつの建築作品として流通させることに力を注ぎ、建築写真自体が批評性を獲得するまでに及んだ。

バラガンの作品は、フィジカルな作品とメディアとしての作品の2つの位相において、いくつかの離散的なシーンを集合させることで作品の全体性が獲得されている。それはまさに奥行きを持つ「絵画的空間の集合体としての建築」と呼べるものであった。

写真5 「ロス・アマンテスの噴水」1966 年

註
1) ケネス・フランプトン『批判的地域主義に向けて、抵抗の建築の六要点』ハル・フォスター編、室井尚＋吉岡洋訳『反美学　ポストモダンの諸相』勁草書房、1987 年
2) ビアトリス・コロミーナ『マスメディアとしての近代建築』松畑強訳、鹿島出版会、1996 年
3) キース・L. エグナー「バラガンの「写真的建築」：イメージ、広告、そして記憶」フェデリカ・ザンコ編『ルイス・バラガン　静かなる革命』インターオフィス、2002 年
4) 同
5) デヴィッド・B. ブラウンリー＆デヴィッド・G. ロング『ルイス・カーン　建築の世界』東京大学建築学科香山壽夫研究室訳、デルファイ研究所、1992 年

Appendix

バラガン建築 MAP

A ラス・アルボレダス地区
B ナウカルパン地区
C クアウテモック地区
D タクバヤ地区 /
　サン・ミゲル・チャプルテペック地区 /
　コンデサ地区 /
　クワウテモック地区（南）
E サン・アンヘル地区 /
　ペドレガル地区
F トゥラルパン地区

本書に収録したバラガンの建築作品はメキシコシティとその周辺の6つのエリア（A〜F）に点在している。拡大図に作品の位置のほか、主要道路やメトロの駅もプロットしたので、現地を訪れる際の参考にしてほしい。ただし、居住者に配慮し、見学マナーを遵守することはいうまでもない。

メキシコシティ広域地図 1:400000

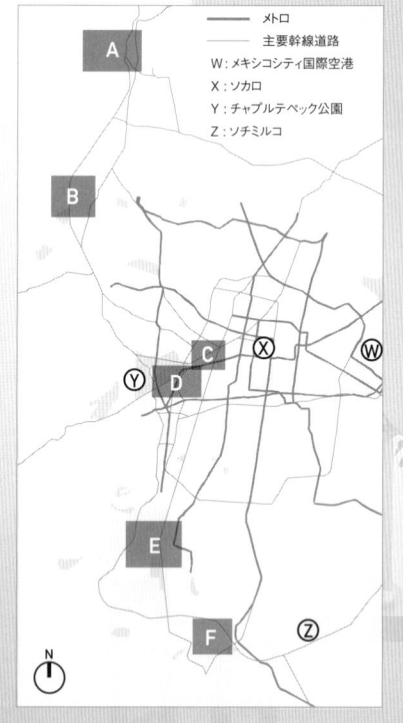

―― メトロ
―― 主要幹線道路
W：メキシコシティ国際空港
X：ソカロ
Y：チャプルテペック公園
Z：ソチミルコ

図面集

1. ルイス・バラガン邸
2. プリエト・ロペス邸
3. トゥラルパンの礼拝堂
4. ガルベス邸
5. サン・クリストバルの厩舎
6. ヒラルディ邸

実測・作製：明治大学大河内研究室

バラガン建築 MAP　　　　　　　　　　　　　　　　　　　　　　　　　　　　　　A / B

A　ラス・アルボレダス地区　Las Arboledas　　1:20000

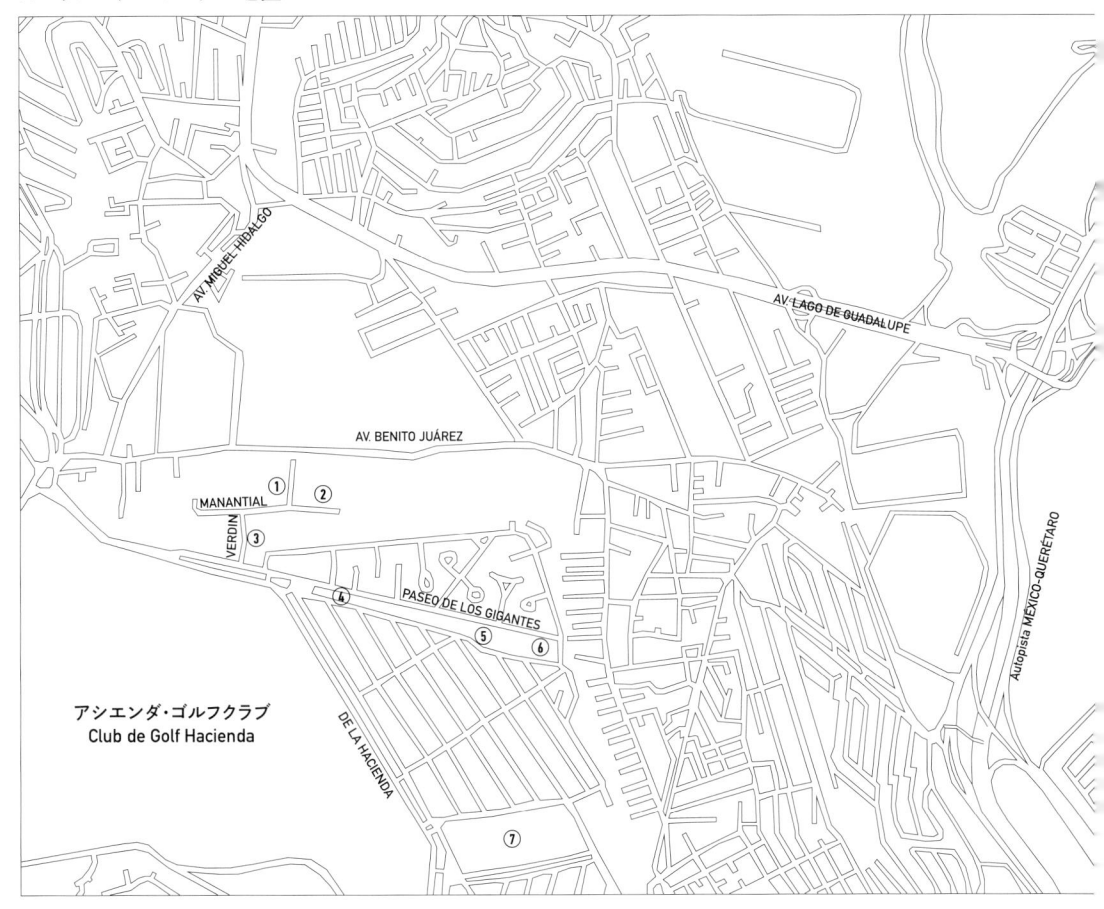

アシエンダ・ゴルフクラブ
Club de Golf Hacienda

B　ナウカルパン地区　Naucalpan

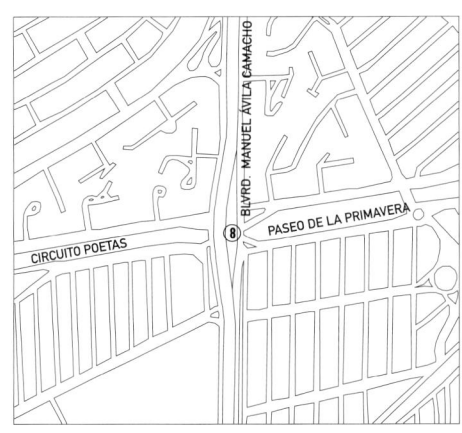

A

① ロス・アマンテスの噴水
　Fuente de Los Amantes
　Calle Manatial Oriente

② サン・クリストバルの厩舎
　Cuadra San Cristóbal
　Calle Manatial Oriente

③ ロス・クルベスのゲート
　Puerta de Los Clubes
　Calle Verdin

④ バラガン像
　Escultura en bronce de Luis Barragán
　Paseo de los Gigantes

⑤ カンパナリオ広場と噴水
　Fuente del Campanario
　Paseo de los Gigantes

⑥ ベベデロの噴水
　Fuente del Bebedero
　Paseo de los Gigantes

⑦ ラス・アルボレダス
　Las Arboledas
　Avenida Arboledas de la Hacienda

B

⑧ サテライトタワー
　Torres de Satélite
　Esquina de BLVRD. M. A. Camacho y Circuito Poetas

バラガン建築 MAP   C / D

C クアウテモック地区 Cuauhtemoc   1:20000

C
⑨ オロスコ邸
Casa Estudio Orozco
Calle Ignacio Mariscal 132

個人住宅
⑩ Calle Sullivan 55
⑪ Calle Sullivan 57
⑫ Calle Sullivan 6
⑬ Calle Rio Guadiana 3

D
⑭ ルイス・バラガン邸
Casa Estudio Luis Barragán
Calle General F. Ramirez 14

⑮ オルテガ邸
Casa Ortega
Calle General F. Ramirez 20

⑯ ヒラルディ邸
Casa Gilardi
Calle General León 82

個人住宅
⑰ Av. Mazatlán 114
⑱ Av. Mazatlán 116
⑲ Av. Mazatlán 118
⑳ Av. Mazatlán 130
㉑ Av. Nuevo León 103
㉒ Av. México 141
㉓ Av. México 143

集合住宅
㉔ Calle Estocolmo 14
㉕ Calle Río Elba 38
㉖ Calle Río Elba 50
㉗ Calle Río Elba 52
㉘ Calle Río Elba 56
㉙ Calle Río Misisipi 33
㉚ Calle Río Misisipi 61
㉛ Calle Río Misisipi 65
㉜ Plaza Melchor Ocampo 38
㉝ Plaza Melchor Ocampo 40
㉞ Plaza Melchor Ocampo 12

D タクバヤ地区／サン・ミゲル・チャプルテペック地区／コンデサ地区／クワウテモック地区（南） Tacubaya / San Miguel Chapultepec / Condesa / Cuauhtemoc

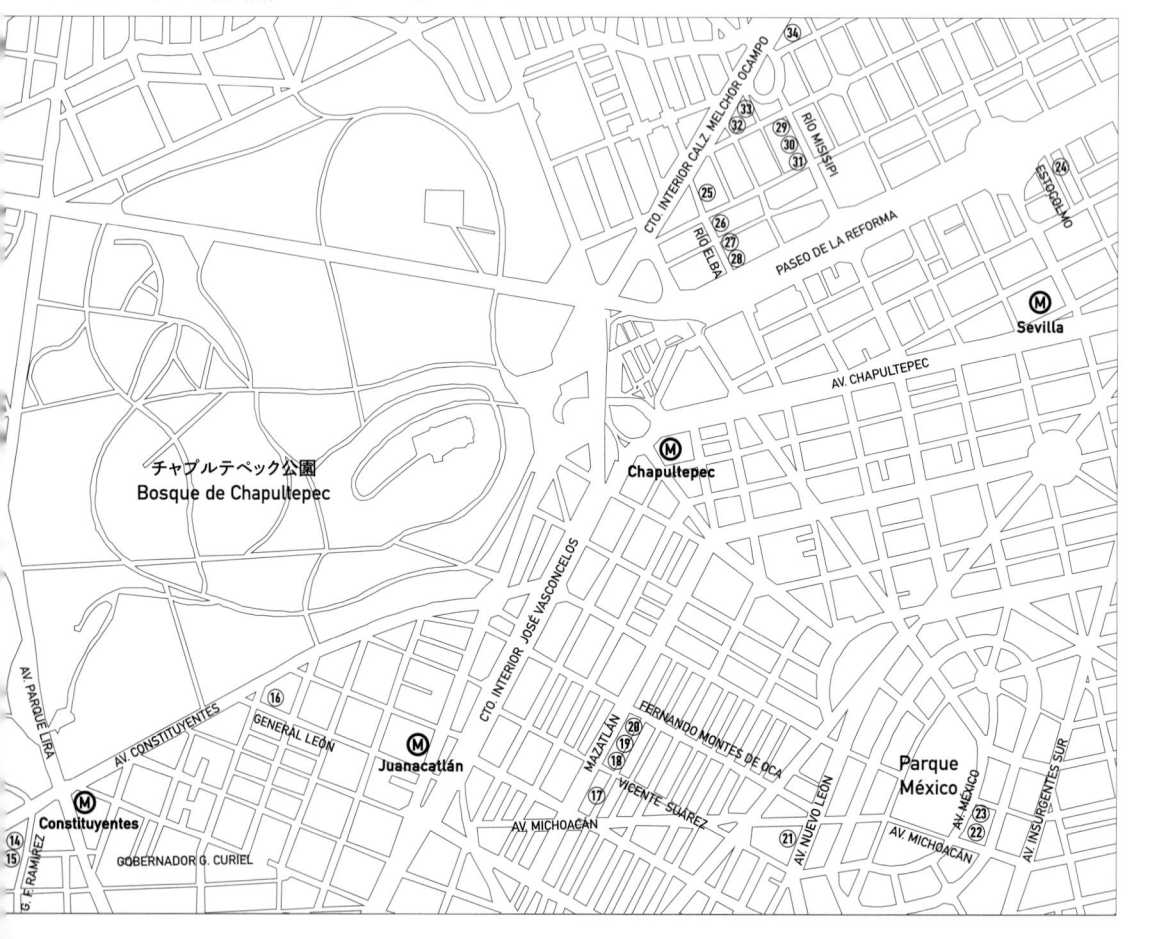

バラガン建築 MAP　　　　E / F

E サン・アンヘル地区／ペドレガル地区　San Ángel / Jardines del Pedregal

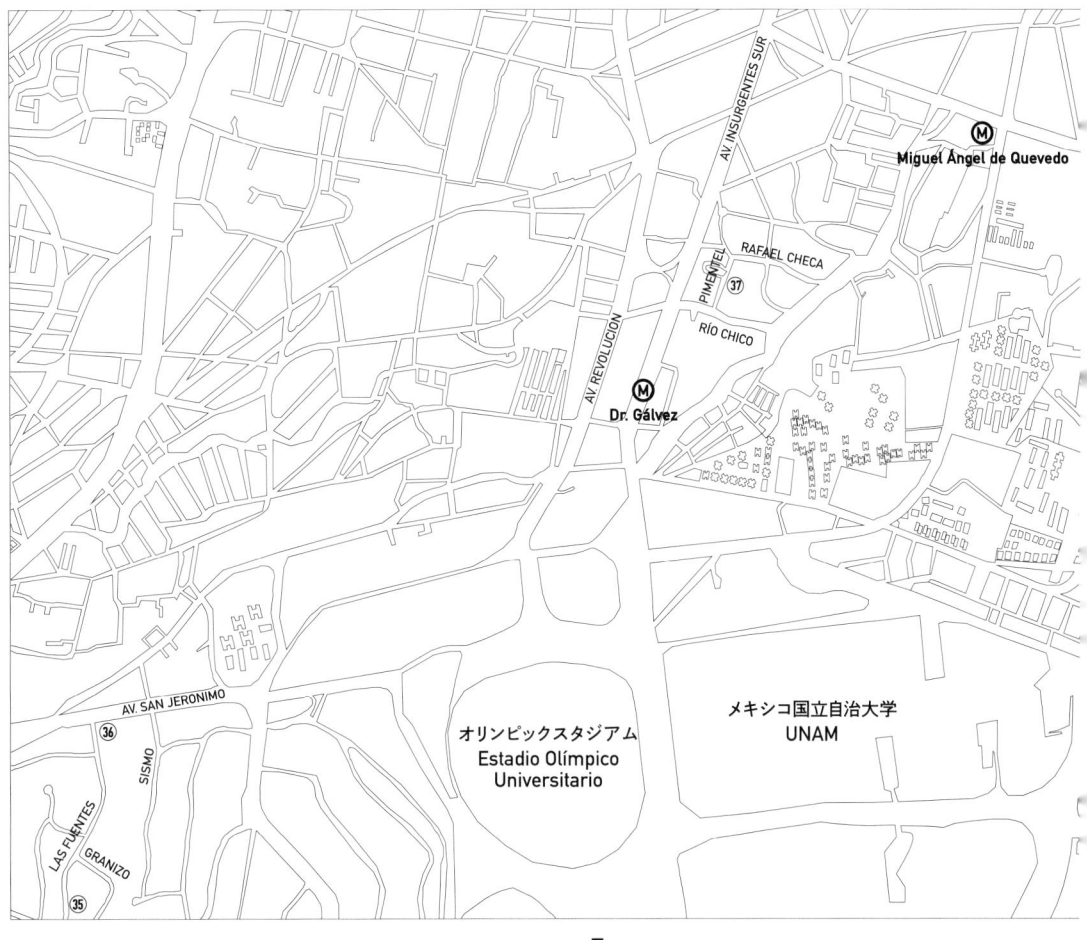

E
㉟ プリエト・ロペス邸
Casa Prieto López
Av. de las Fuentes 180

㊱ ペドレガルの庭園
Jardines del Pedregal
Av. de las Fuentes esq. Av.San Jerónimo

㊲ ガルベス邸
Casa Gálvez/
Calle Pimentel 10

F トゥラルパン地区　Centro de Tlalpan

F
㊳ トゥラルパンの礼拝堂
Capilla en Tlalpan
Calle Miguel Hidalgo 43

図面集　　　　　　　　　　　　　　　　　　　　　　　　　1. ルイス・バラガン邸

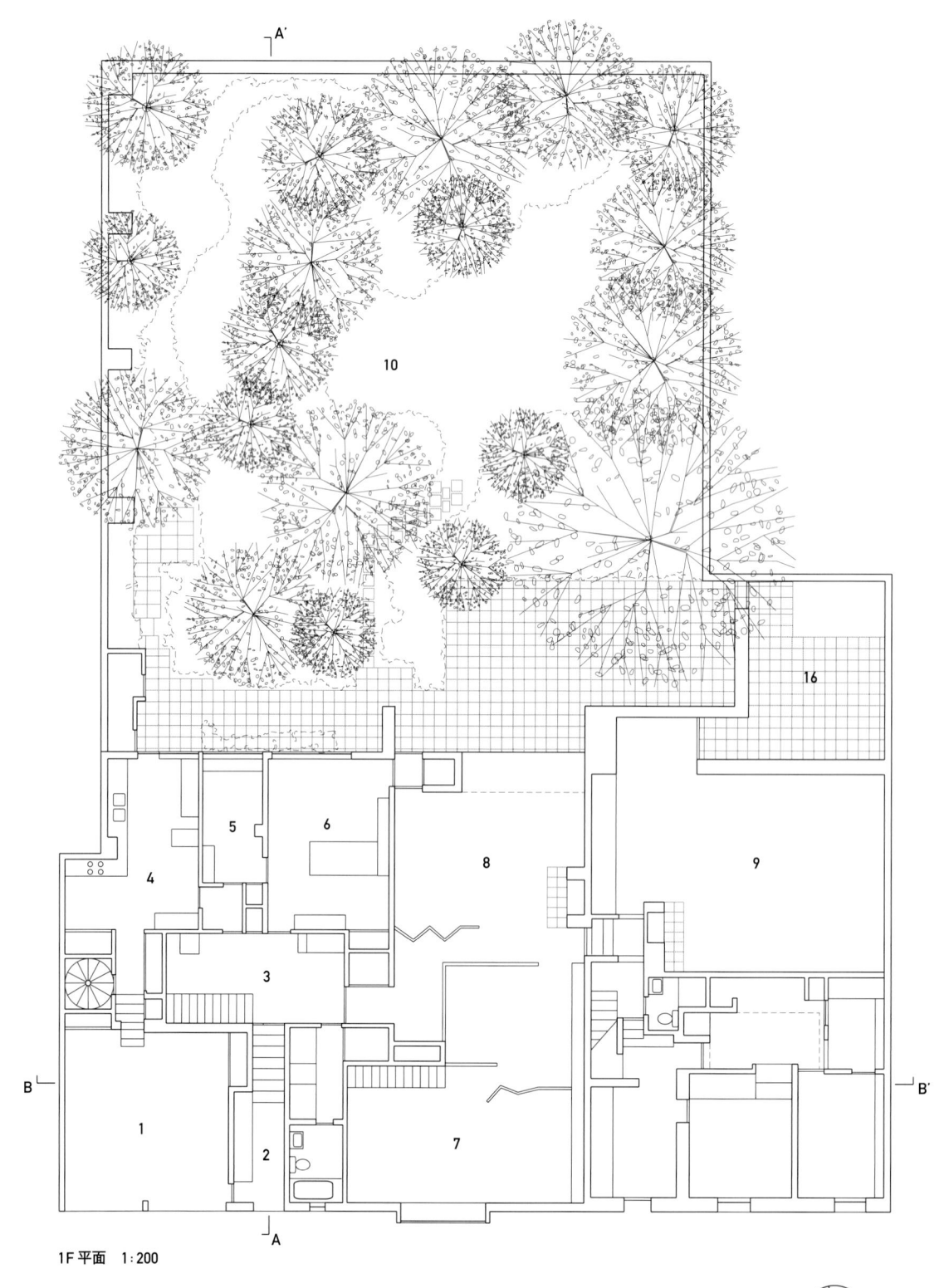

1F平面　1:200

1. ルイス・バラガン邸

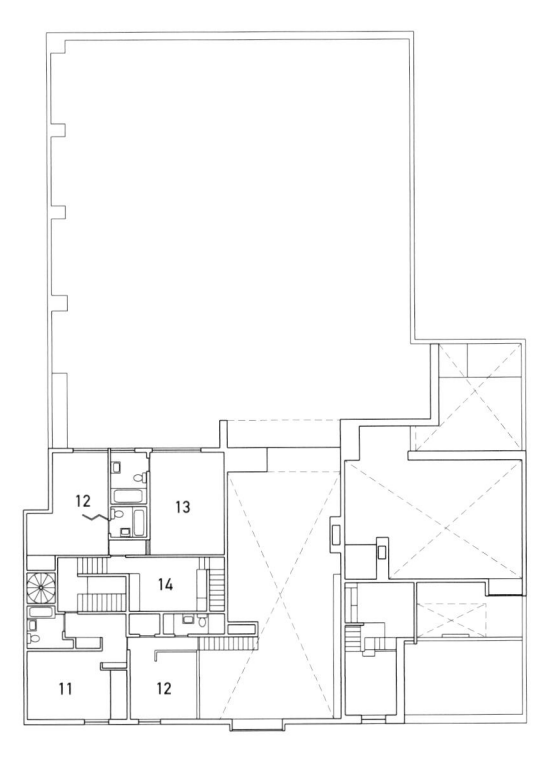

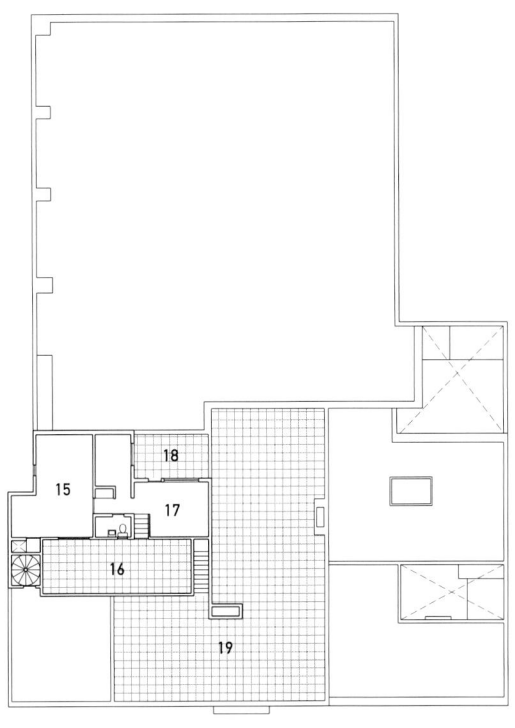

2F 平面 1:400

3F 平面 1:400

1	ガレージ
2	エントランス
3	階段室
4	キッチン
5	朝食室
6	ダイニングルーム
7	ライブラリー
8	リビングルーム
9	アトリエ
10	庭
11	ゲストルーム
12	書斎
13	ベッドルーム
14	ラウンジ
15	使用人室
16	パティオ
17	衣装部屋
18	サービスヤード
19	屋上テラス

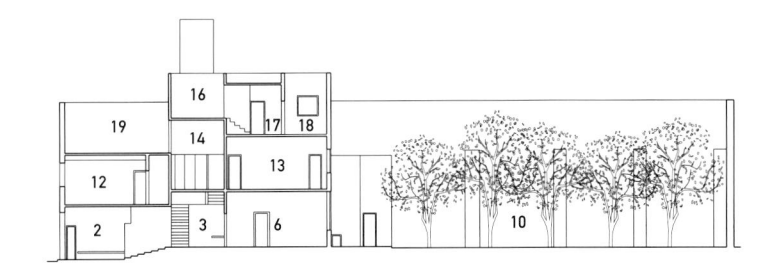

A-A' 断面 1:400

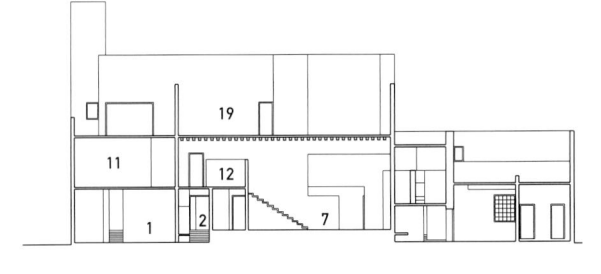

B-B' 断面 1:400

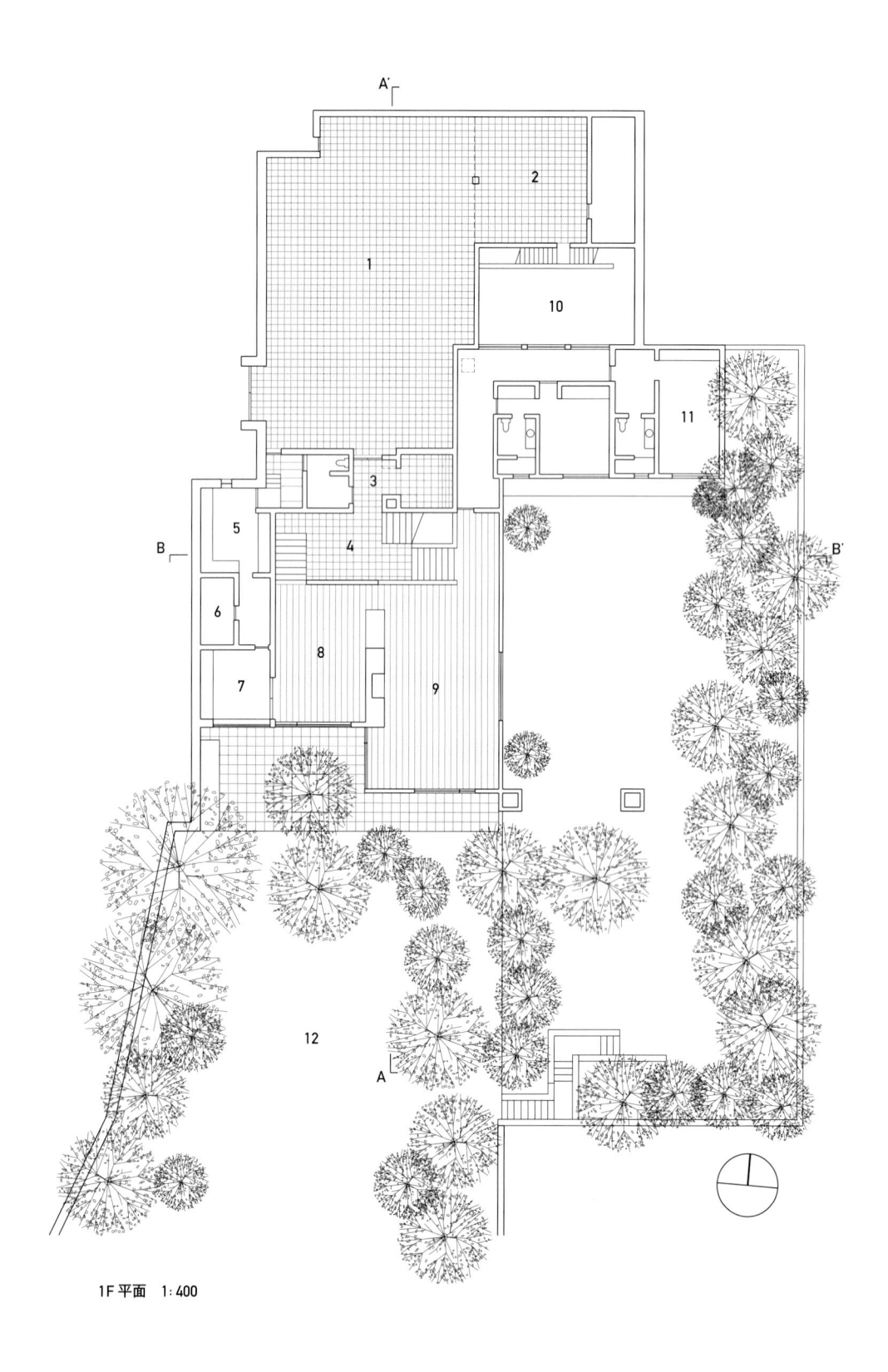

図面集　　　　　　　　　　　　　　　　　　　　　　2. プリエト・ロペス邸

1F平面　1:400

2. プリエト・ロペス邸

1 エントリーコートヤード
2 ガレージ
3 エントランス
4 玄関ホール
5 キッチン
6 食器庫
7 サブ・ダイニングルーム
8 メイン・ダイニングルーム
9 リビングルーム
10 吹き抜け
11 ベッドルーム
12 庭
13 プール
14 サービスヤード
15 ライブラリー
16 倉庫
17 ワインセラー

B1 平面　1:400

A-A' 断面　1:400

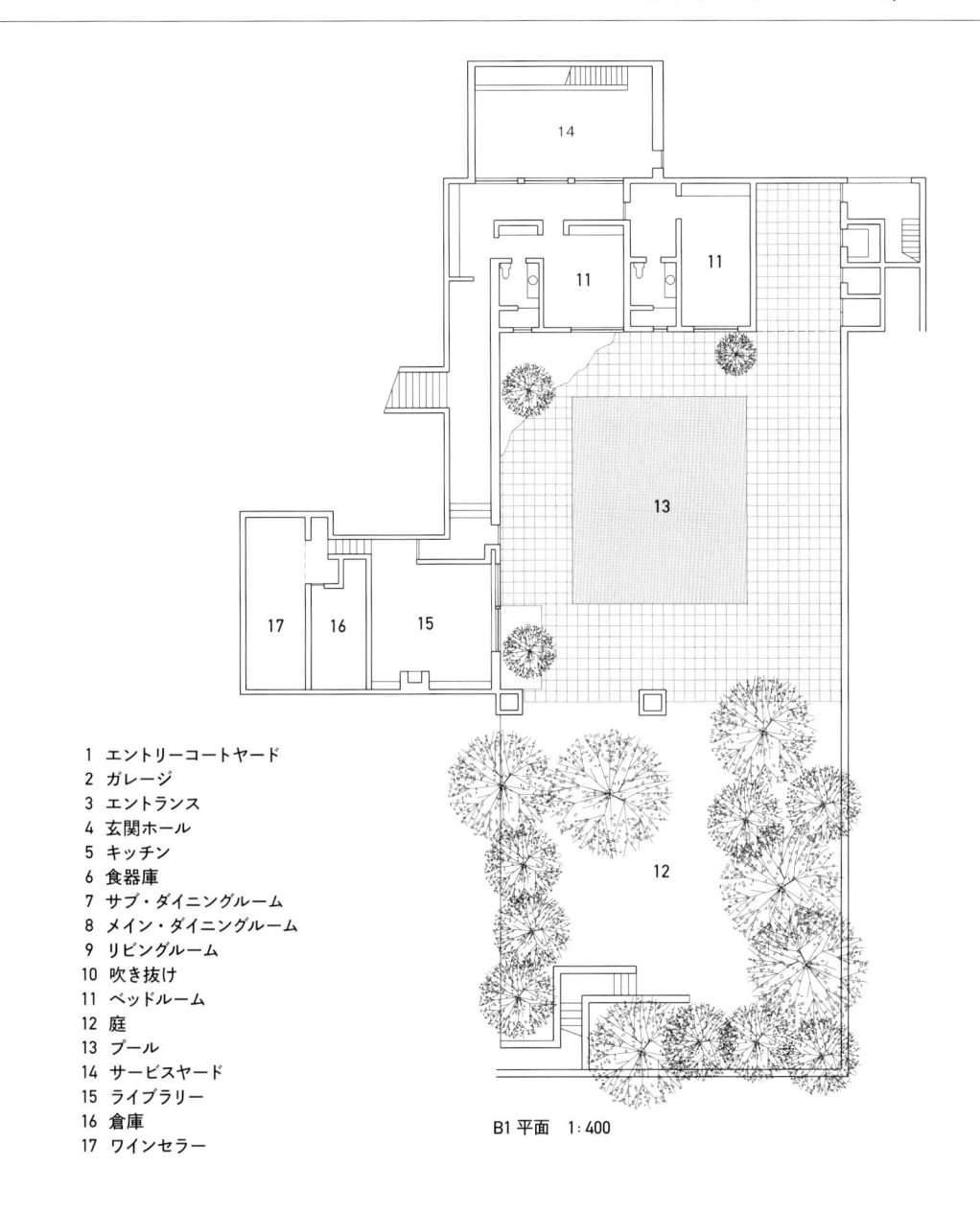

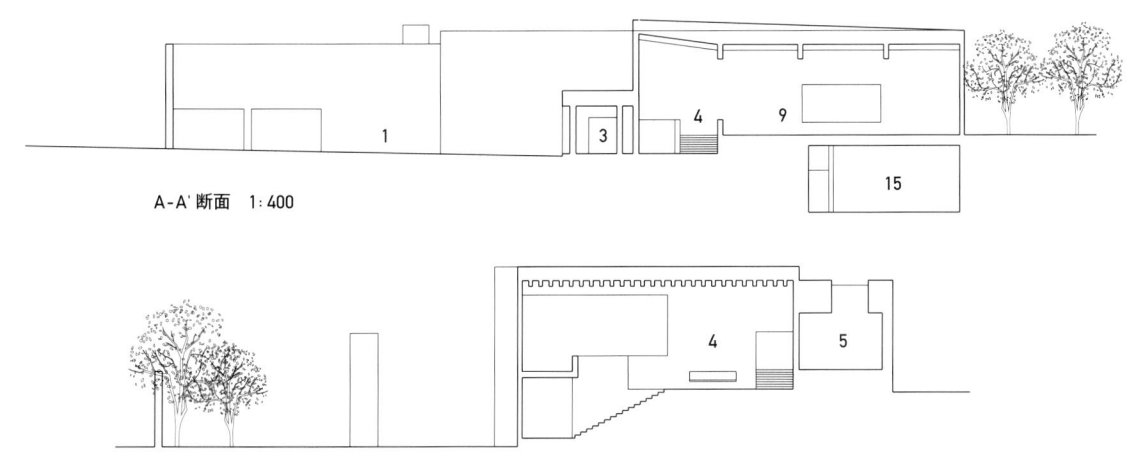

B-B' 断面　1:400

図面集 　　　　　　　　　　　　　　　　　　　　3. トゥラルパンの礼拝堂

1F平面　1:300

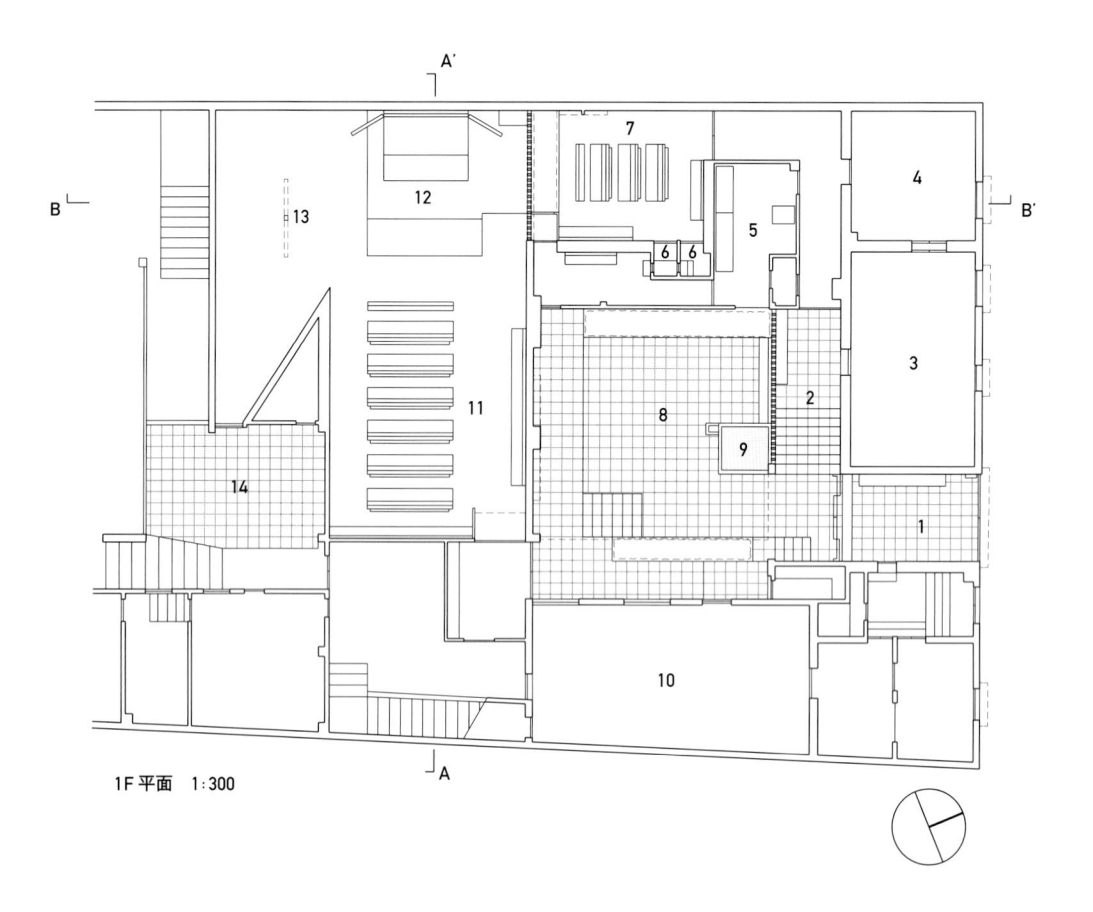

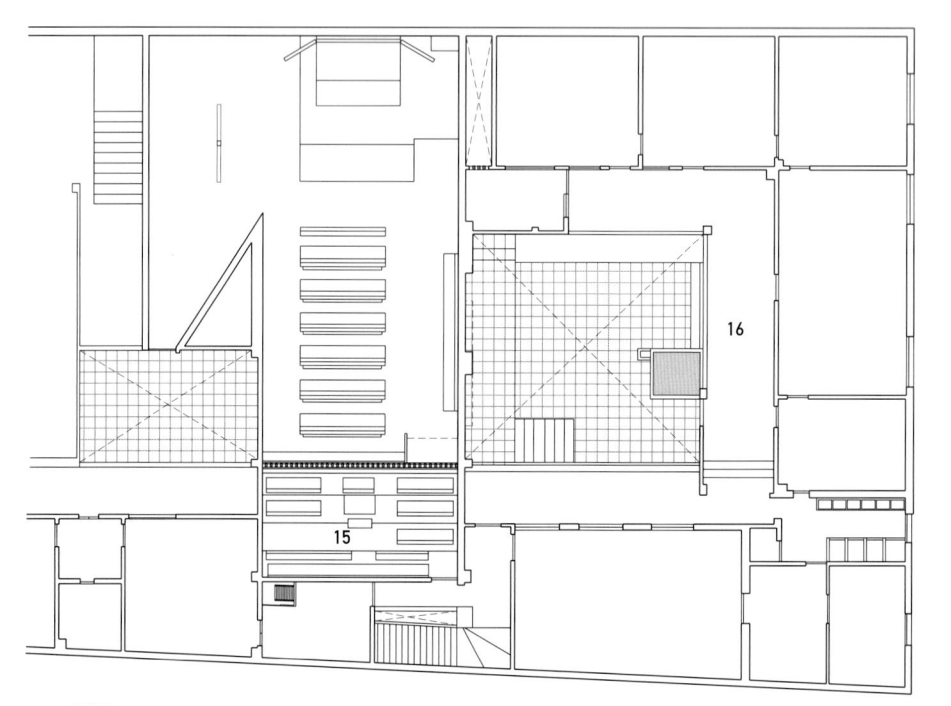

2F平面　1:300

3. トゥラルパンの礼拝堂

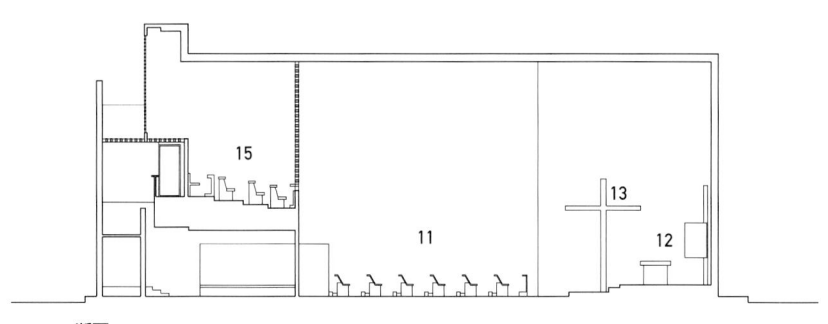

A-A' 断面　1:300

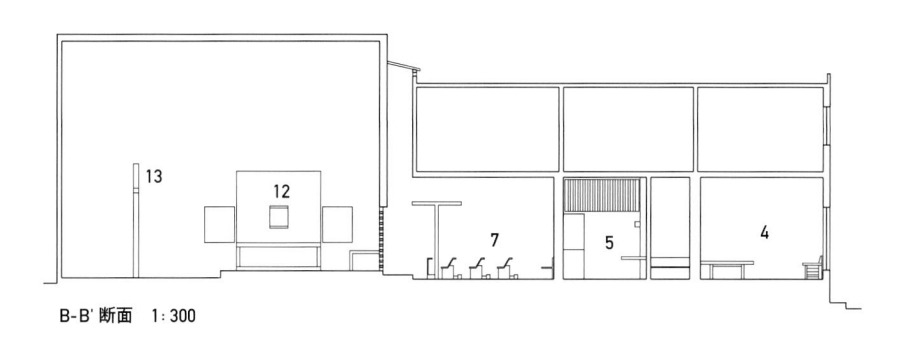

B-B' 断面　1:300

1　エントランス
2　コリドール
3　レセプションルーム
4　控室
5　聖具室
6　告解室
7　翼廊
8　中庭
9　水盤
10　執務室
11　礼拝室
12　祭壇
13　十字架
14　パティオ
15　聖歌隊室
16　コリドール

図面集　　　　　　　　　　　　　　　　　　　　　　4. ガルベス邸

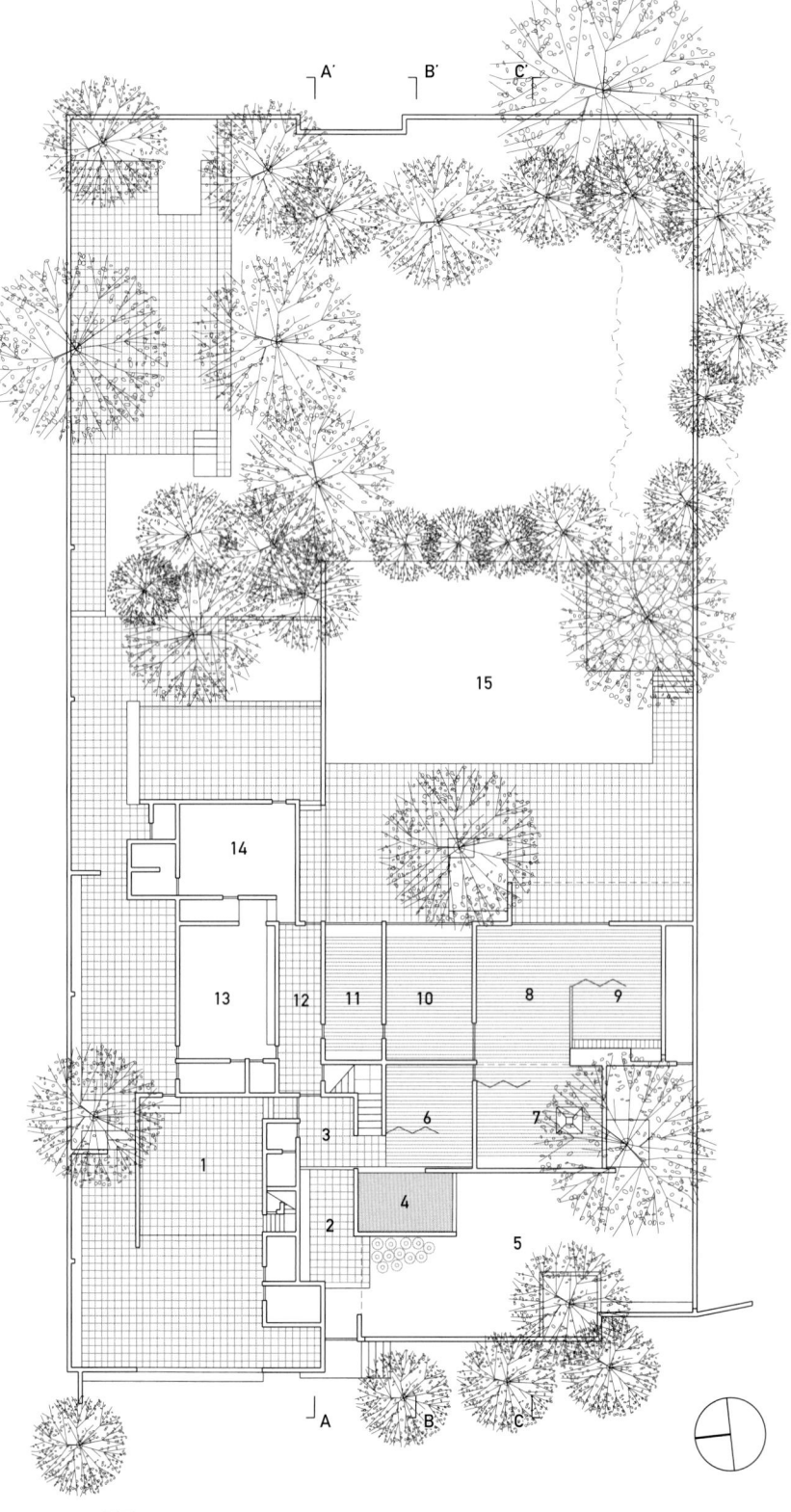

1F平面　1:400

4. ガルベス邸

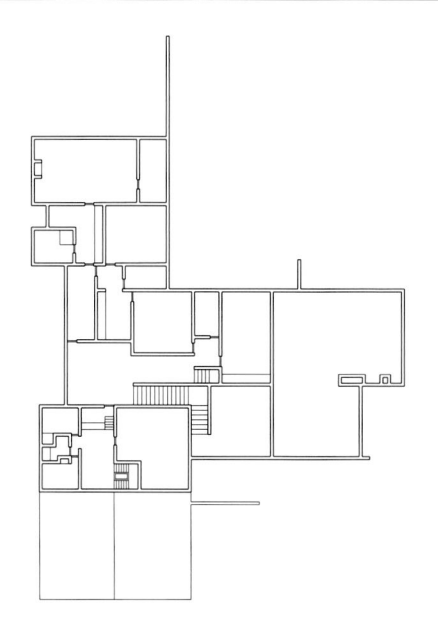

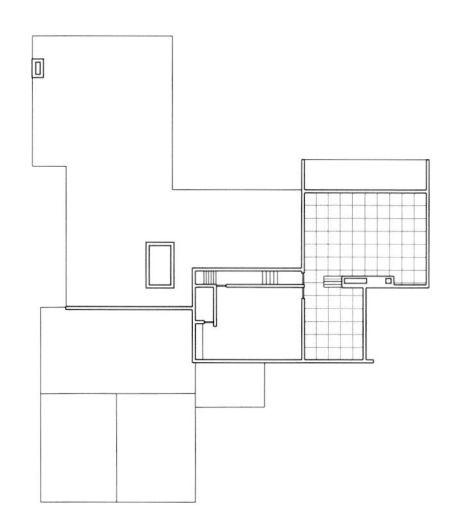

2F 平面　1:600

3F 平面　1:600

1　ガレージ
2　ポーチ
3　エントランス
4　水盤
5　パティオ
6　応接室
7　書斎
8　ホール
9　リビングルーム
10　ダイニングルーム
11　朝食室
12　廊下
13　キッチン
14　使用人室
15　庭

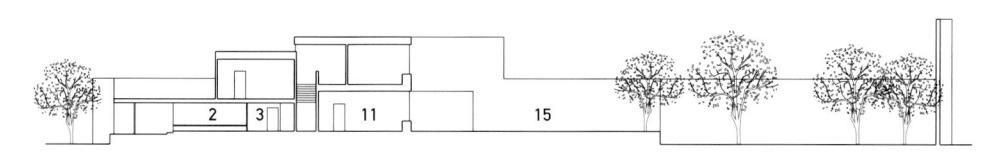

A-A' 断面　1:600

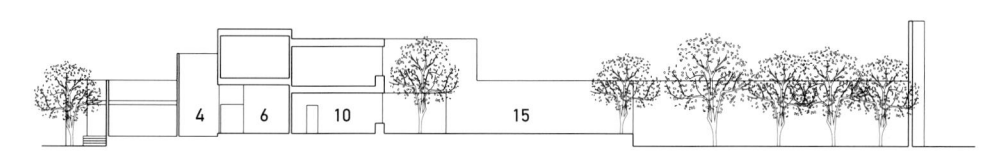

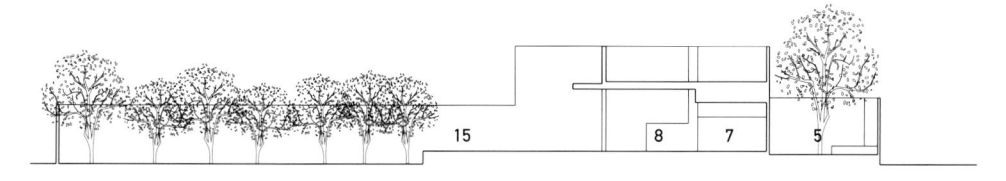

B-B' 断面　1:600

C-C' 断面　1:600

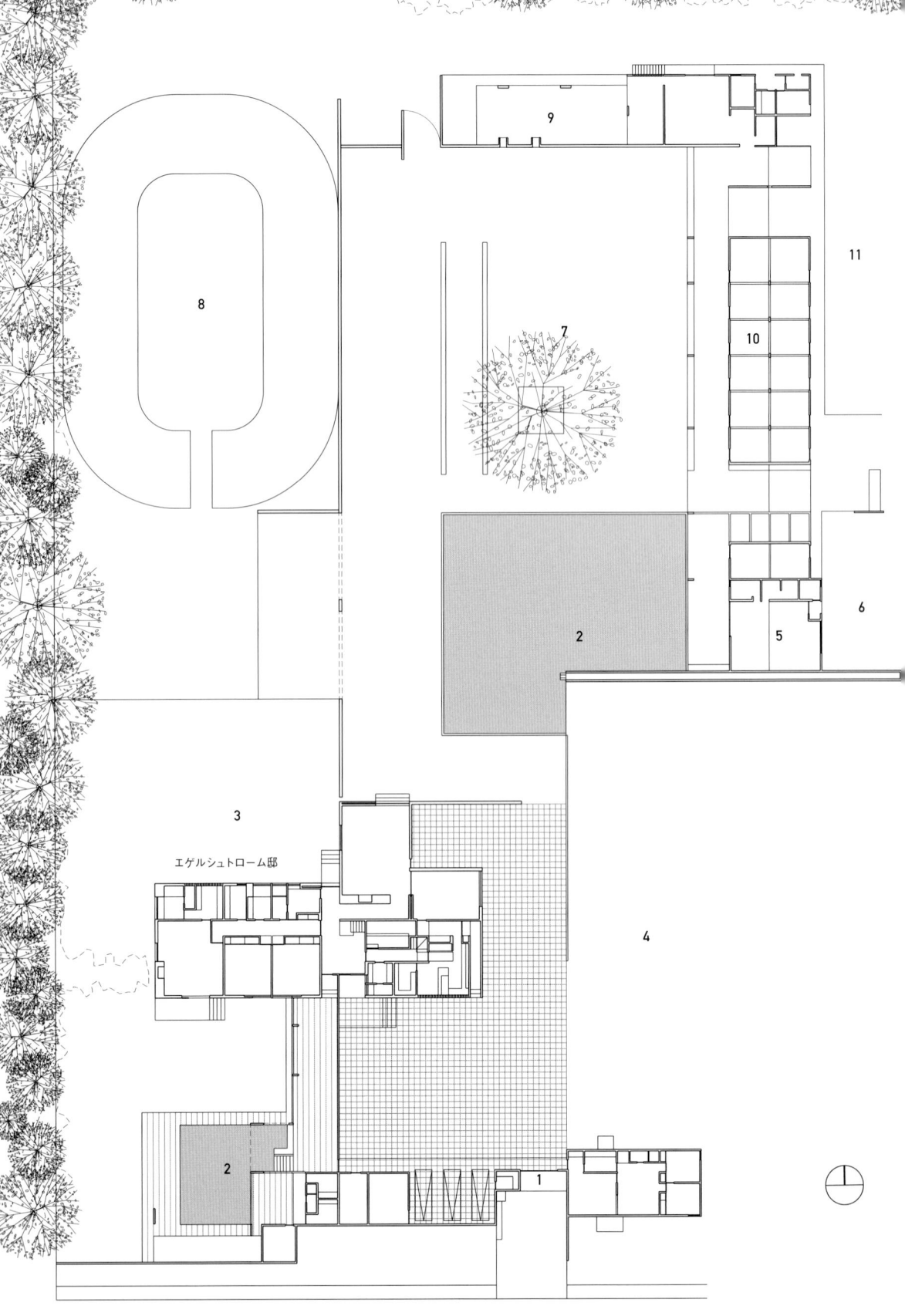

図面集　5. サン・クリストバルの厩舎

エゲルシュトローム邸

1F平面　1:600

5. サン・クリストバルの厩舎

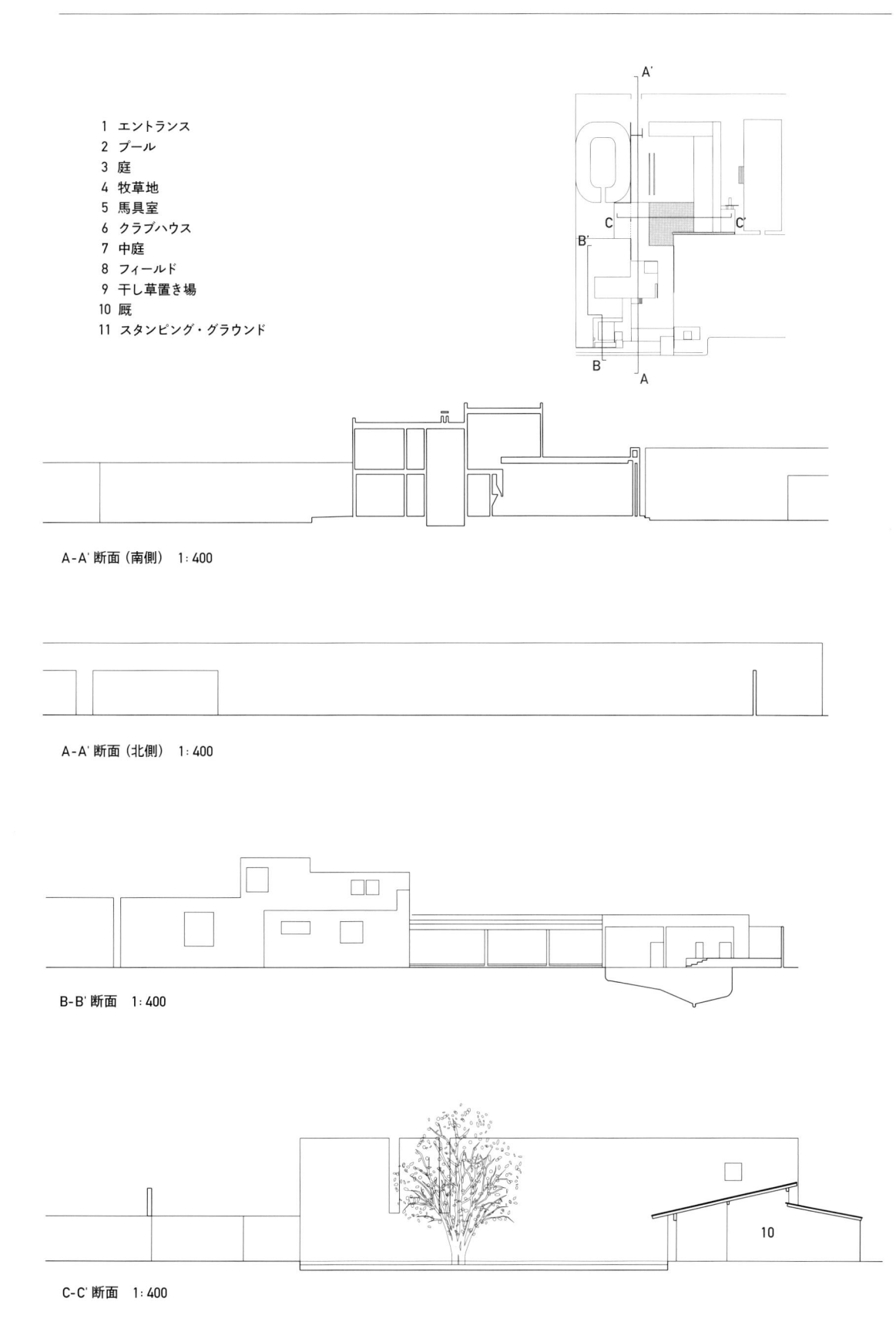

1 エントランス
2 プール
3 庭
4 牧草地
5 馬具室
6 クラブハウス
7 中庭
8 フィールド
9 干し草置き場
10 厩
11 スタンピング・グラウンド

A-A' 断面（南側） 1:400

A-A' 断面（北側） 1:400

B-B' 断面 1:400

C-C' 断面 1:400

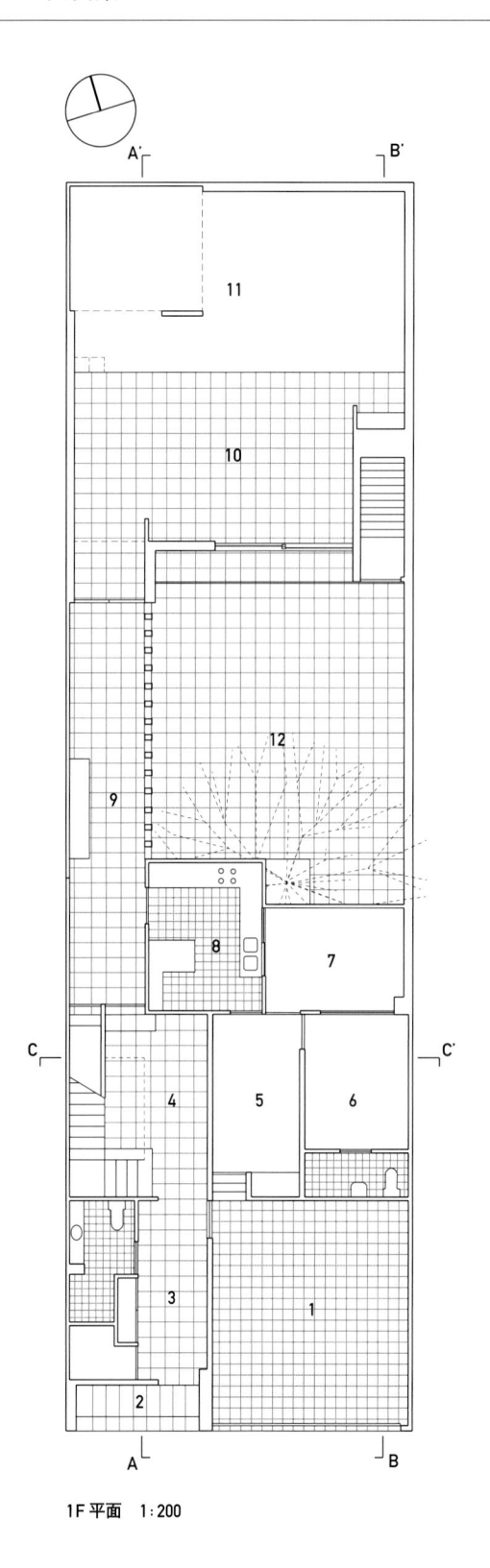

図面集　　　　　　　　　　　　　　　　　　　　　　　　　　　　6. ヒラルディ邸

1F 平面　1:200 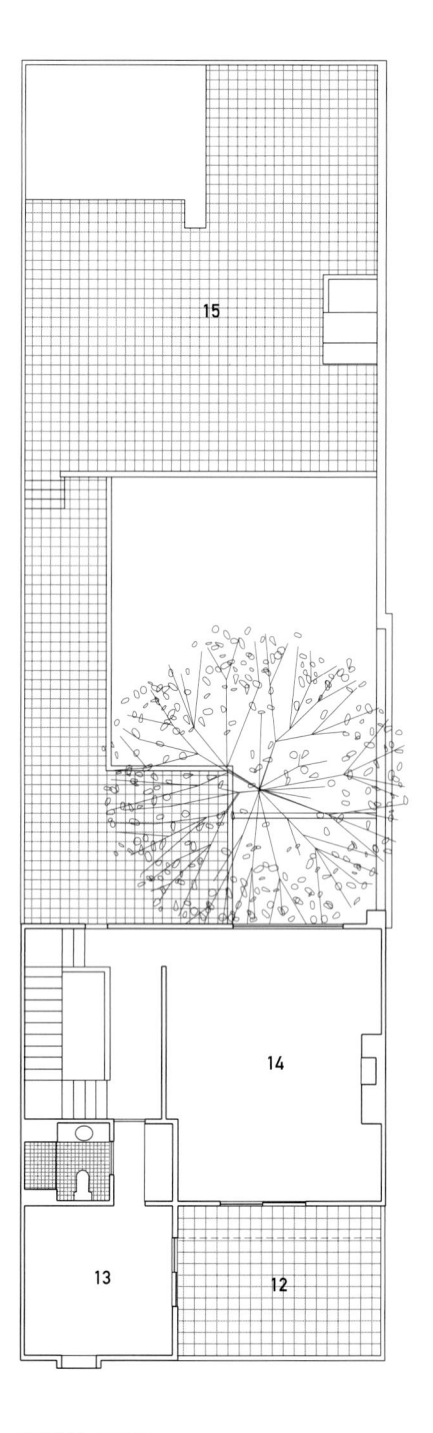　　　　　　　　　　2F 平面　1:200

6. ヒラルディ邸

1　ガレージ
2　エントランス
3　廊下
4　階段ホール
5　洗濯室
6　使用人室
7　サービスヤード
8　キッチン
9　コリドール
10　ダイニングルーム
11　プール
12　パティオ
13　子供室
14　リビングルーム
15　テラス
16　ゲストルーム
17　バスルーム
18　ベッドルーム

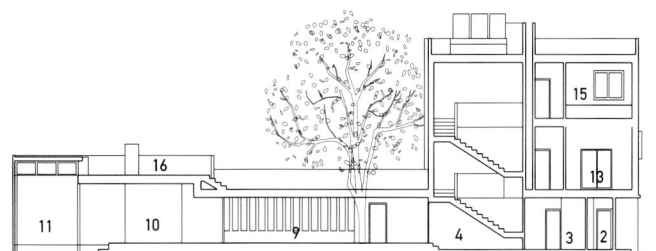

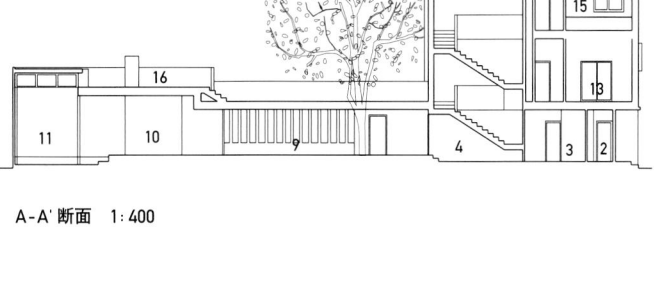

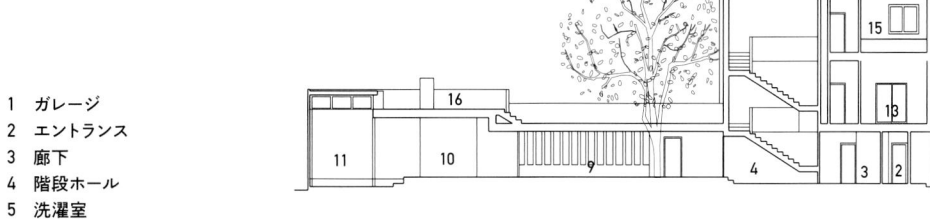

A-A' 断面　1:400

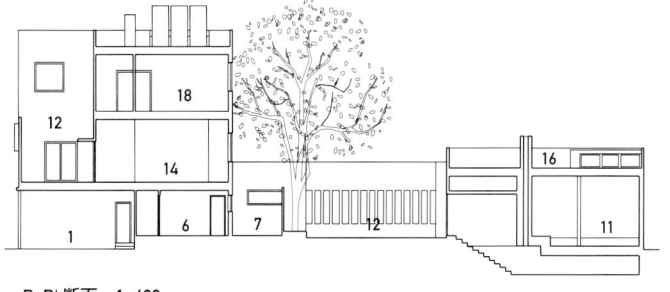

B-B' 断面　1:400

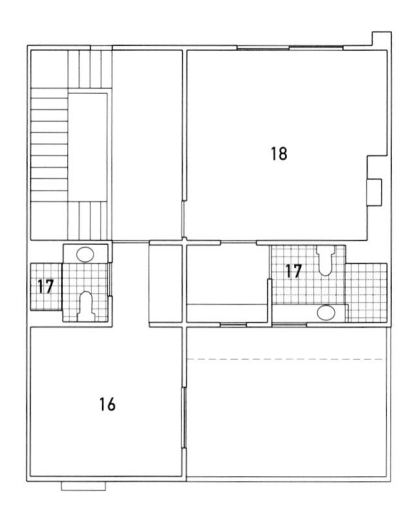

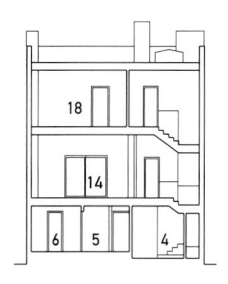

C-C' 断面　1:400

3F 平面　1:200

あとがき

　本書は、2011年9月と2012年8月の2度にわたって行ったメキシコシティとその近郊にあるバラガンの主要な作品の調査で得られた知見をもとに、約3年の年月をかけてまとめたものである。この調査を通じて、作品の撮影、実測調査、関係者へのインタビューを行ったが、バラガンの建築の言葉では表現できない程の美しさにすっかり魅了されてしまった。東京から地球の裏側のメキシコまで約1万1千kmの道のりは遠いものであったが、遙々旅をした分だけ、得難い経験が得られたと思う。

　ずいぶんと長い時間がかかったが、ようやく本書をまとめることができたことに対し、多くの人に感謝しなくてはいけない。まず、一緒に研究を進め、昼夜を問わず議論におつきあい頂いた人。特に調査に同行し、ともに研究を行った木村宜子さん（当時大学院生）、資料の整理、図版の作製、編集に協力してくれた研究室の学生諸君には大変感謝している。また現地調査・取材に対し、バラガン邸ディレクター・コルクエラ氏をはじめ、住宅作品のオーナー諸氏には快くご協力頂いた。今もなお、バラガンの作品に愛着と誇りを持って住み続けておられる姿勢には深く感銘を受けた。

　本書のデザインを担当していただいたみなみゆみこさんには、制作の初期段階から議論におつきあい頂き、細部まで配慮が行き届いた創造性あふれるデザインを提供して頂いた。最後になったが、本書出版するにあたり長い間お世話になった彰国社編集部の神中智子さんにはこの場を借りて改めて感謝の意を伝えたい。

2015年5月

大河内 学・廣澤秀眞

参考文献

ワタリウム美術館編『世界の名作住宅をたずねる ルイス・バラガンの家』新潮社、2009年

『世界現代住宅全集 02：バラガン自邸 1947-48』A.D.A.Edita Tokyo、2009年

フェデリカ・ザンゴ編『ルイス・バラガン 静かなる革命』インターオフィス、2002年

齋藤裕『カーサ・バラガン』TOTO出版、2002年

『GA No.48：〈ルイス・バラガン〉バラガン自邸 1947／ロス・クルベス 1963-69／サン・クリストバル 1967-68』A.D.A.Edita Tokyo、1997年

齋藤裕『ルイス・バラガンの建築』TOTO出版、1996年

『a+u』1992年10月号

『PROCESS: Architecture No.39：現代メキシコ建築』1983年

Alberto Kalach, ed., *Mèxico Ciudad Futura*, Editorial RM, 2010.

Alfonso Alfaro, Daniel Garza Usabiaga, Juan Palomar, *Luis Barragán: His House*, Rm, 2007.

Federica Zanco, ed., *Guide Barragán*, Barragan Foundation / Arquine, 2002.

Danièle Pauly, *Barragán-Space and Shadow, Walls and Colour*, Birkhäuser, 2002.

Raul Rispa, ed., *Barragán: The Complete Works*, Princeton Architectural Press, 2003.

Armando Salas Portugal, *Barragán: Photographs of the Architecture of Luis Barragán*, Rizzoli, 1992.

略歴

大河内 学　おおこうち・まなぶ

1967年、東京都生まれ。1992年、東京都立大学工学部建築学科卒業。1994年、東京大学大学院建築学専攻修士課程修了。1997年、同大学博士課程単位取得退学。1997-98年、原広司＋アトリエファイ建築研究所。1998-2002年、東京大学生産技術研究所助手。1999年、インタースペース・アーキテクツ設立・主宰。2005-16年、明治大学准教授。現在、同大学教授。博士（工学）。主な作品＝学園大通りの家（2007）、DOUBLE CUBE（2007）、西原の階段長屋（2021）ほか。主な著書＝『建築設計テキスト 住宅』（共編著、彰国社）、『建築のデザイン・コンセプト』（共著、彰国社）

廣澤秀眞　ひろさわ・ひでまさ

1983年、東京都生まれ。2005年、明治大学理工学部建築学科卒業。2005-07年、CAt（シーラカンス アンド アソシエイツ トウキョウ）。2008-2012年、Taller de Arquitectura X / Alberto Kalach（メキシコ）。メキシコから帰国後、東京大学生産技術研究所川添研究室特任研究員。日野市立図書館基本計画策定委員。2014年、廣澤秀眞建築設計事務所設立・主宰。主な作品＝Casa Azul（2012）、擁壁／住宅（2014）ほか。

明治大学大河内研究室　　＊刊行時

木村宜子　矢田元輝　菊池孝平　増井裕太
櫻井貴　谷黒新太　長谷川貴哉　釣井駿佑
柏木雄介　小泉裕資　米沢慶介　小林千雅
小林滉美　佐藤滉哉　山本裕美子　池上智

取材協力
Catalina Corcuera
Mia Egerstrom
Cristina Gálves Guzzy
Eduardo Prieto López
Martin Luque
Juan Palomar

翻訳協力
西村亮彦（6-7頁）

＊本書で収録している図版はメキシコでの調査や実測をもとに作製している。また、現地で撮影した写真の著作権は、大河内学と廣澤秀眞が有する。

写真クレジット

大河内 学
カバー, 表紙, 9, 11-32, 33上, 35-53, 56-61, 64-84, 87右,
88上・下右, 89上, 91-114, 117, 123-126

廣澤秀眞
86右, 87左, 88下左, 89下, 116

彰国社編集部
86左

Armando Salas Portugal
55, 62-63

Armando Salas Portugal © Barragan Foundation, Switzerland / JASPAR, Tokyo, 2015　C0572
Luis Barragán © Barragan Foundation, Switzerland / JASPAR, Tokyo, 2015　C0572

ルイス・バラガン　空間の読解

2015年 6月10日　第1版　発　行
2024年 5月10日　第1版　第4刷

編著者	大河内 学 ＋ 廣澤秀眞 ＋ 明治大学大河内研究室
発行者	下　出　雅　徳
発行所	株式会社　彰　国　社

著作権者との協定により検印省略

162-0067　東京都新宿区富久町8-21
電話　03-3359-3231（大代表）
振替口座　00160-2-173401

自然科学書協会会員
工学書協会会員

Printed in Japan

© 大河内 学 ＋ 廣澤秀眞 ＋ 明治大学大河内研究室　2015年　　印刷：真興社　製本：誠幸堂
ISBN 978-4-395-32042-4 C3052　　　https://www.shokokusha.co.jp

本書の内容の一部あるいは全部を、無断で複写（コピー）、複製、および磁気または光記録媒体等への入力を禁止します。許諾については小社あてご照会ください。